받아올림, 받아내림 없는
두 자리 수와 한 자리 수의 덧셈과 뺄셈

Creative to Math

응용연산 : 상위권으로 가는 문제해결 연산 학습지

요즘 아이들은 초등학교 입학 전에 연산 문제집 한 권 정도는 풀어본 경험이 있습니다. 어릴 때부터 연산 문제를 많이 풀었기 때문에 아이들은 아직 학교에서 배우지 않은 계산 문제를 슥슥 풀어서 부모님들을 흐뭇하게 만들기도 합니다. 그런데 아이들의 연산 능력은 날로 높아지지만 수학 실력은 과거에 비해 그다지 늘지 않은 것 같습니다. 사실 진짜 수학 실력은 연산 문제나 사고력 수학 문제를 주로 푸는 초등 저학년 때는 잘 드러나지 않습니다. 응용 문제를 본격적으로 풀기 시작하는 초등 3, 4학년이 되어서야 아이의 수학 실력을 판별할 수 있습니다.

초등 수학에서 연산이 가장 중요한 것은 부정할 수 없는 사실입니다. 중학생, 고등학생이 되어서 부족한 연산 능력을 키우는 것은 거의 불가능합니다. 이러한 연산의 특수성 때문에 아이들은 어린 나이부터 연산을 반복적으로 연습하여 실력을 키우려고 합니다. 이렇게 열심히 연산을 공부하는데도 왜 어떤 아이들은 수학 문제를 잘 풀지 못하는 것일까요? 그 이유는 현재 연산 학습의 목적이 단지 '계산을 잘 하는 것'이 되어버렸기 때문입니다. 연산은 연산 자체가 목적이 될 수 없으며 수학의 진짜 목표인 문제를 잘 풀기 위한 수단으로 연산을 학습해야 합니다.

과거 초등 수학 교과서의 연산 단원은 ① 원리와 연습 ② 문장제 활용의 단순한 구성이었습니다만 요즘의 교과서는 많이 달라졌습니다. 원리와 연습은 그대로이거나 조금 줄었지만 연산을 응용하는 방식은 좀 더 다양해졌습니다. 계산 능력의 향상만을 꾀하는 것이 아니라 여러 가지 퍼즐이나 수학적 상황 등을 해결할 수 있는 '응용력'에 초점을 맞추고 있다는 것을 보여주는 변화입니다. 따라서 저희는 연산 학습지도 원리나 연습 위주에서 벗어나 실제 문제를 해결할 수 있는 능력에 포인트를 맞추어야 한다고 생각합니다.

'연산은 잘 하는데 수학 문제는 왜 못 풀까요?'에 대한 대답이자 대안으로 저희는 「응용연산」이라는 새로운 컨셉의 연산 학습지를 만들었습니다. 연산 원리를 이해하고 연습하는 것에 그치지 않고, 익힌 것을 활용하는 방법을 바로 보여줄 수 있어야 아이들이 수학 문제에 연산을 효과적으로 적용할 수 있습니다. 연습은 꼭 필요한 만큼만 하고, 더 중요한 응용 문제에 바로 도전함으로써 연산과 문제 해결이 단절되지 않게 하는 것이 「응용연산」에서 기대하는 가장 큰 목표입니다.

「응용연산」을 통해 아이들이 왜 연산을 해야 하는지 스스로 느낄 수 있을 것이라 자신합니다. 이제 연산은 '원리'나 '연습'이 아닌 스스로 문제를 해결할 수 있는 '응용력'입니다.

응용연산의 구성과 특징

- 매일 부담없이 4쪽씩 연산 학습
- 매주 4일간 단계별 연산 학습과 응용 문제를 통한 연산 실력 확인
- 매주 1일 형성평가로 테스트 및 복습

주차별 구성

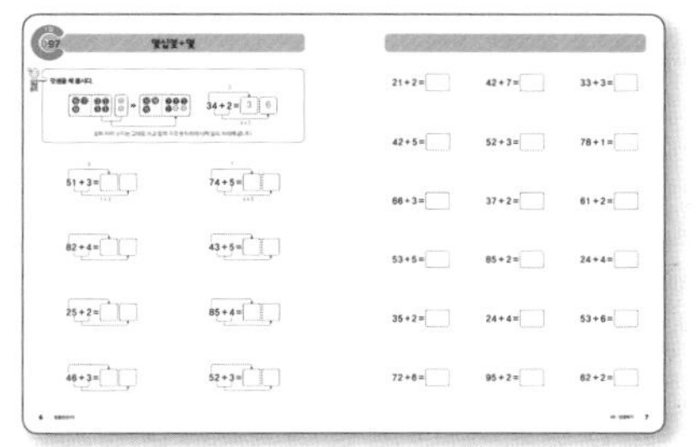

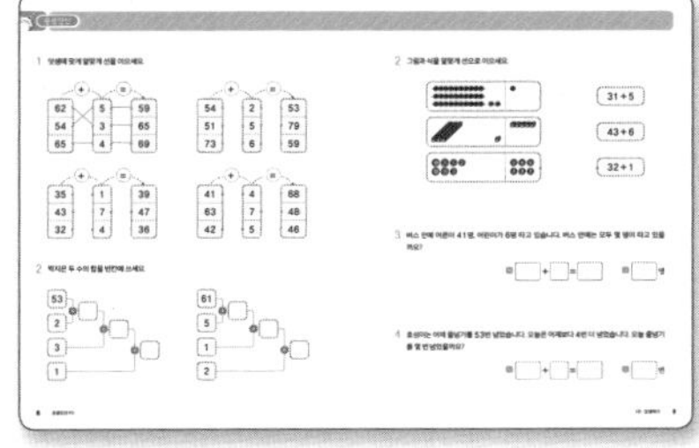

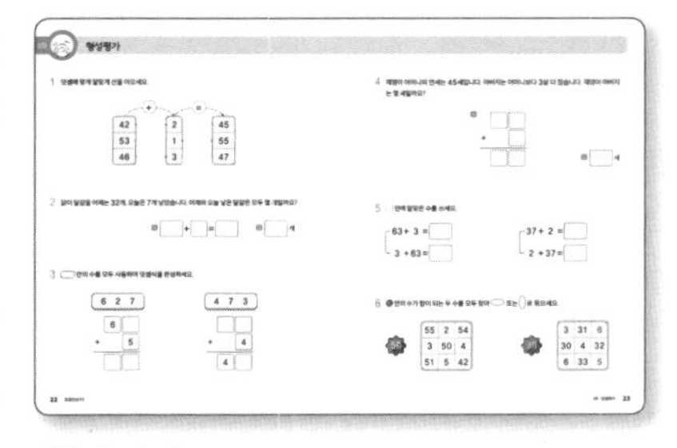

원리연산

대표 문제를 통해 학습하는 매일 새로운 단계별 연산 학습

응용연산

기본 문제와 응용 문제를 통한 응용력과 문제해결력 증진

형성평가

가장 중요한 유형을 다시 한번 복습하며 주차 학습 마무리

	1일	2일	3일	4일	5일
1주차	6쪽 ~ 9쪽	10쪽 ~ 13쪽	14쪽 ~ 17쪽	18쪽 ~21쪽	22쪽 ~ 24쪽
2주차	26쪽 ~ 29쪽	30쪽 ~ 33쪽	34쪽 ~ 37쪽	38쪽 ~41쪽	42쪽 ~ 44쪽
3주차	46쪽 ~ 49쪽	50쪽 ~ 53쪽	54쪽 ~ 57쪽	58쪽 ~61쪽	62쪽 ~ 64쪽
4주차	66쪽 ~ 69쪽	70쪽 ~ 73쪽	74쪽 ~ 77쪽	78쪽 ~81쪽	82쪽 ~ 84쪽

정답 및 해설

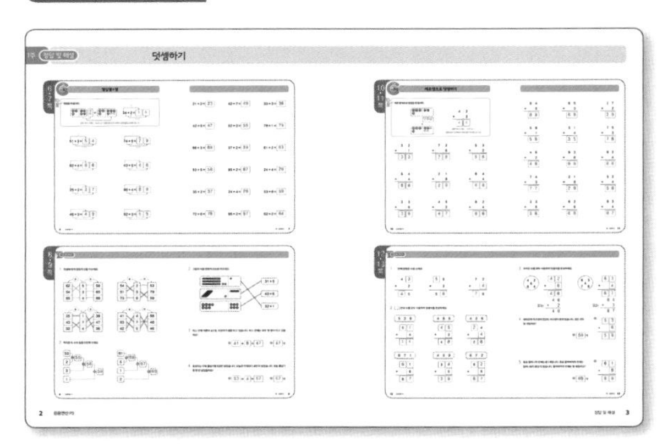

문제와 답을 한눈에 볼 수 있습니다.

이 책의 차례

덧셈하기

받아올림이 없는 두 자리 수와 한 자리 수의 덧셈

몇십몇+몇

개념원리

덧셈을 해 봅시다.

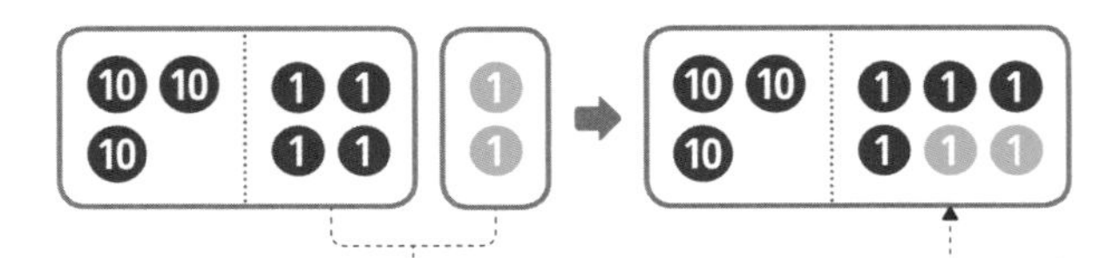

34 + 2 = 3 6 (3, 4+2)

십의 자리 숫자는 그대로 쓰고 일의 자리 숫자끼리 더해 일의 자리에 씁니다.

51 + 3 = □□ (5, 1+3)

74 + 5 = □□ (7, 4+5)

82 + 4 = □□

43 + 5 = □□

25 + 2 = □□

85 + 4 = □□

46 + 3 = □□

52 + 3 = □□

$21 + 2 = \square$ $42 + 7 = \square$ $33 + 3 = \square$

$42 + 5 = \square$ $52 + 3 = \square$ $78 + 1 = \square$

$66 + 3 = \square$ $37 + 2 = \square$ $61 + 2 = \square$

$53 + 5 = \square$ $85 + 2 = \square$ $24 + 4 = \square$

$35 + 2 = \square$ $24 + 4 = \square$ $53 + 6 = \square$

$72 + 6 = \square$ $95 + 2 = \square$ $62 + 2 = \square$

1 덧셈에 맞게 알맞게 선을 이으세요.

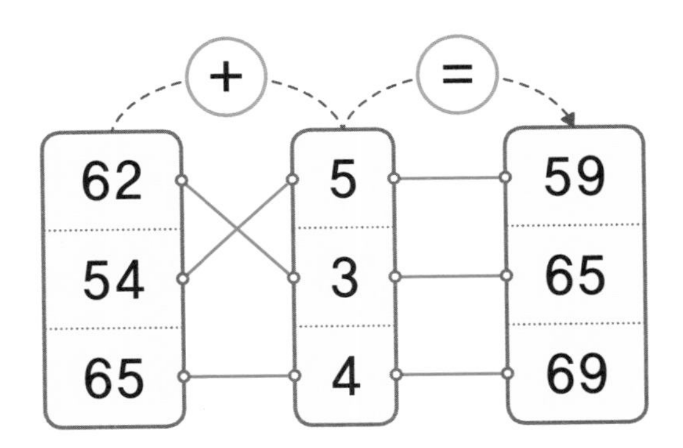

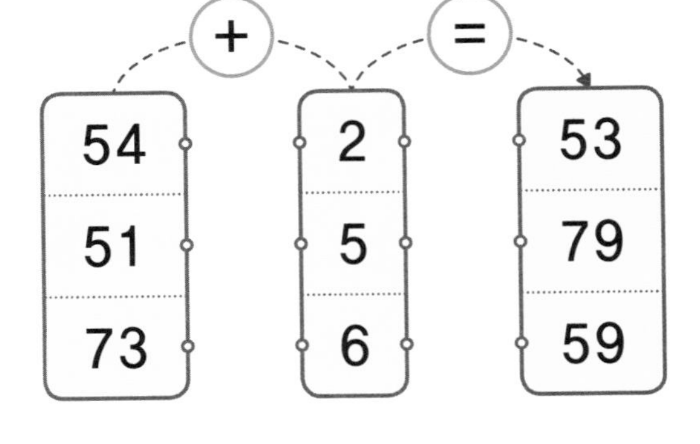

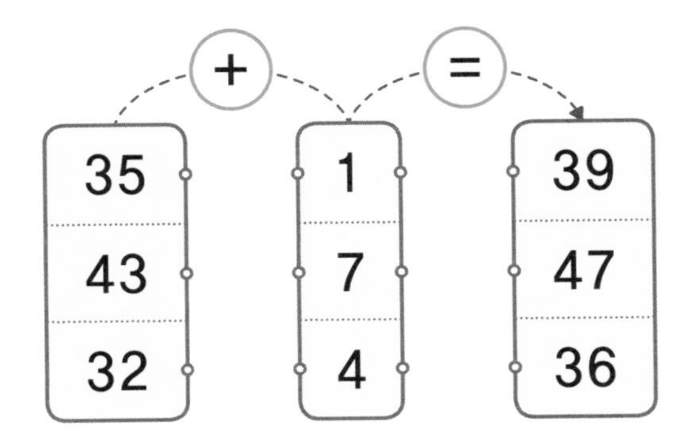

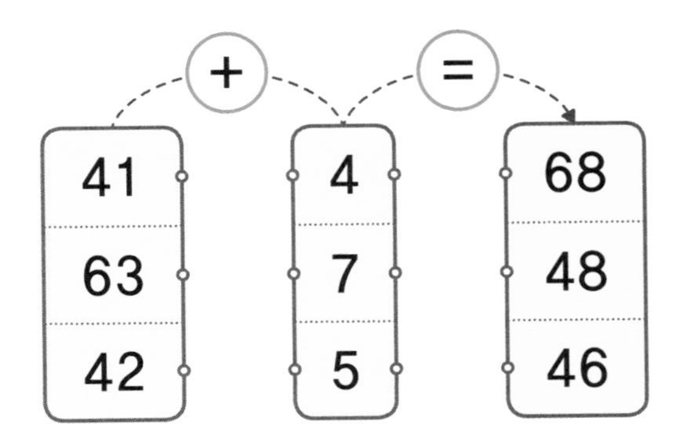

2 짝지은 두 수의 합을 빈칸에 쓰세요.

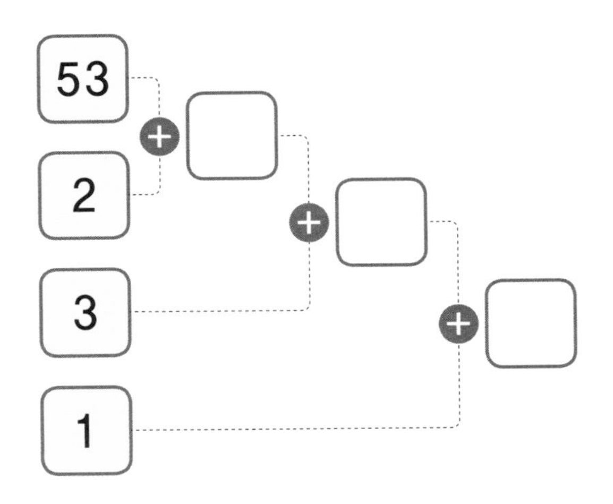

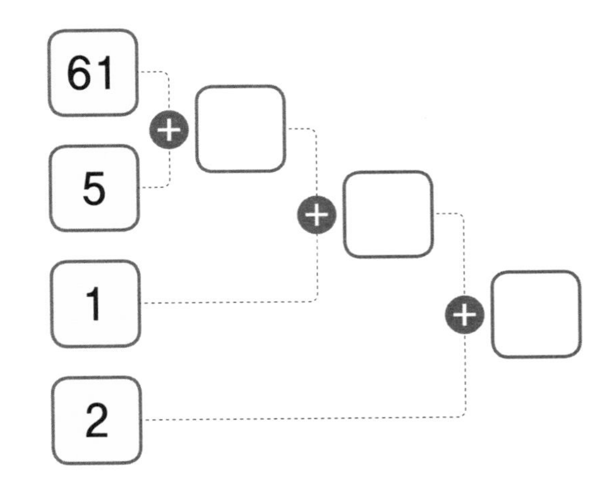

3 그림과 식을 알맞게 선으로 이으세요.

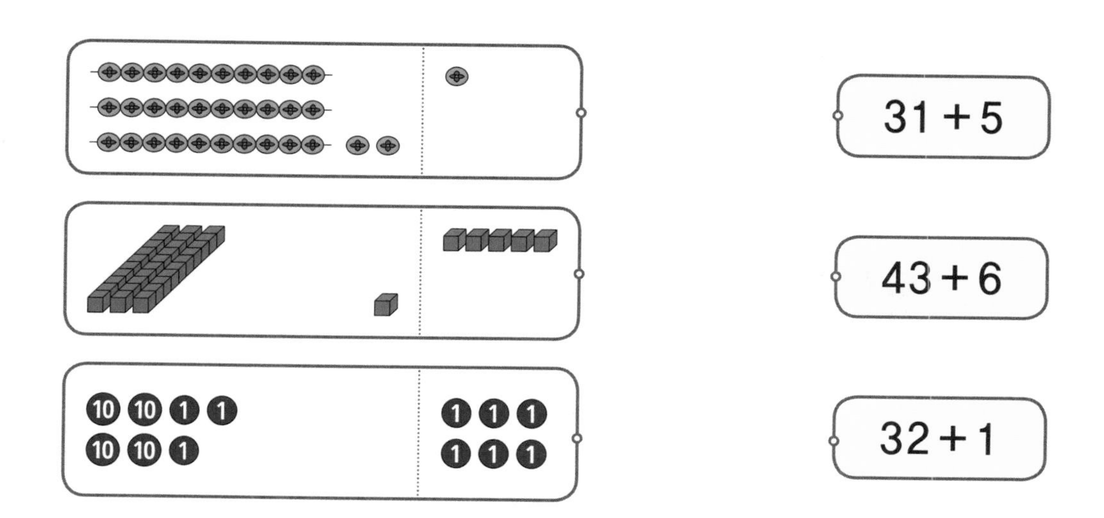

4 버스 안에 어른이 **41**명, 어린이가 **6**명 타고 있습니다. 버스 안에는 모두 몇 명이 타고 있을까요?

식 ☐ + ☐ = ☐　　답 ☐ 명

5 호성이는 어제 줄넘기를 **53**번 넘었습니다. 오늘은 어제보다 **4**번 더 넘었습니다. 오늘 줄넘기를 몇 번 넘었을까요?

식 ☐ + ☐ = ☐　　답 ☐ 번

세로셈으로 덧셈하기

개념 원리

세로 방식으로 덧셈을 해 봅시다.

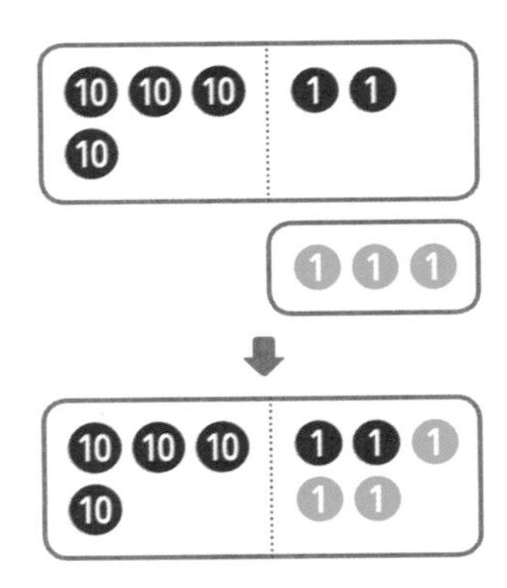

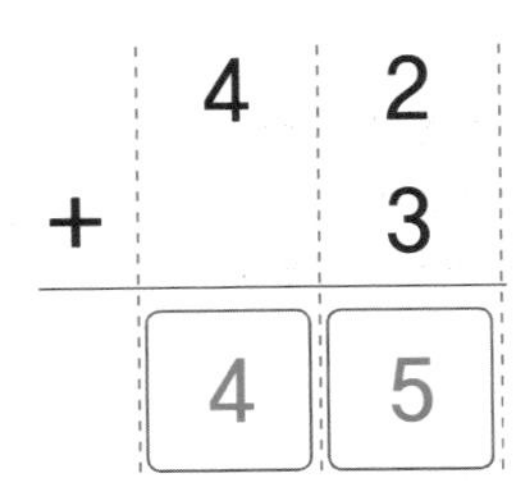

십의 자리 숫자는 그대로 쓰고
일의 자리 숫자끼리 더해 일의 자리에 씁니다.

	3	2
+		1
	□	□

	7	2
+		6
	□	□

	5	3
+		2
	□	□

	6	4
+		4
	□	□

	2	1
+		8
	□	□

	6	4
+		4
	□	□

	3	3
+		6
	□	□

	4	5
+		2
	□	□

	8	2
+		4
	□	□

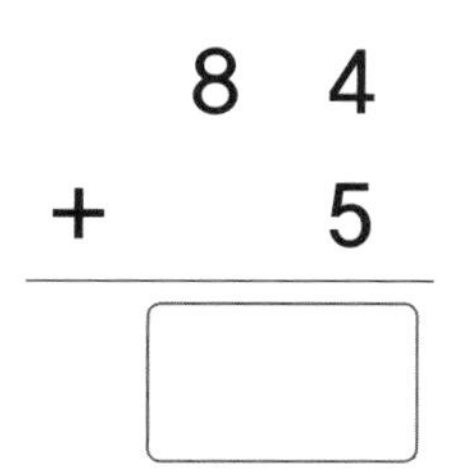

$84 + 5 = \square$

$65 + 3 = \square$

$27 + 2 = \square$

$58 + 1 = \square$

$31 + 4 = \square$

$75 + 3 = \square$

$46 + 2 = \square$

$93 + 6 = \square$

$62 + 4 = \square$

$74 + 3 = \square$

$21 + 8 = \square$

$52 + 4 = \square$

$33 + 5 = \square$

$62 + 6 = \square$

$83 + 4 = \square$

1 □ 안에 알맞은 수를 쓰세요.

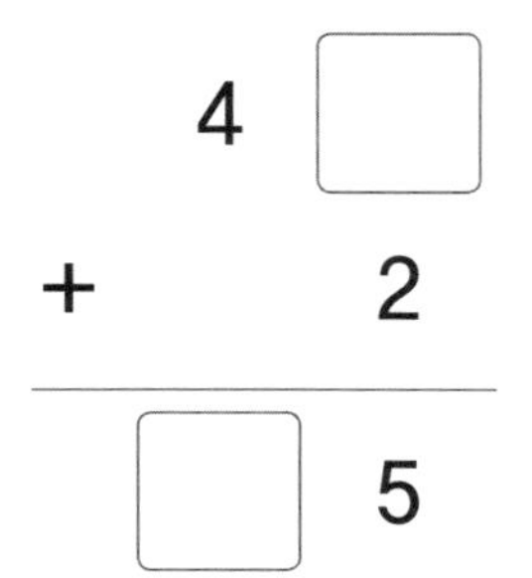

4 □	□ 5	7 2
+ 2	+ 3	+ □
□ 5	5 □	□ 6

2 ▭ 안의 수를 모두 사용하여 덧셈식을 완성하세요.

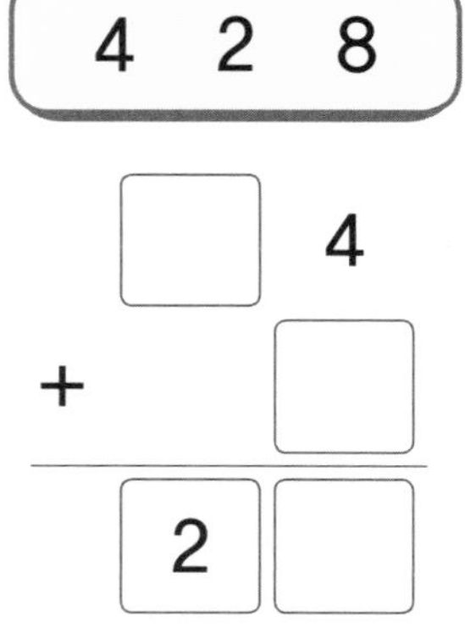

5 2 6	4 8 5	4 2 8
5 2	□ □	□ 4
+ 4	+ 3	+ □
5 6	4 □	2 □

8 7 1	4 3 9	6 7 2
□ □	3 □	6 □
+ 6	+ 5	+ 5
8 □	□ □	□ □

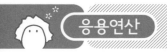

3 주어진 수를 모두 사용하여 덧셈식을 완성하세요.

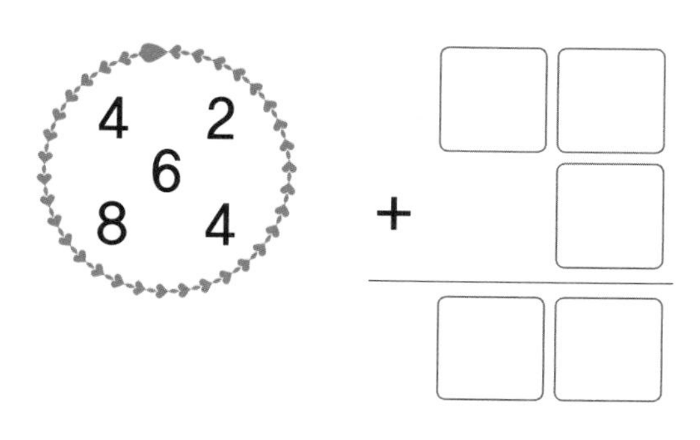

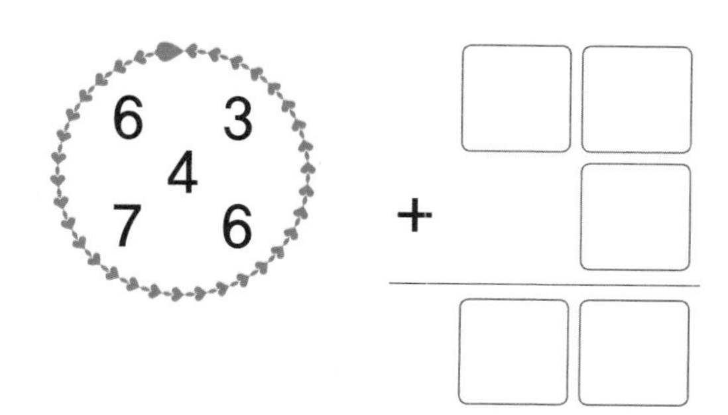

4 체육관에 축구공이 53개, 야구공이 6개 있습니다. 공은 모두 몇 개일까요?

식

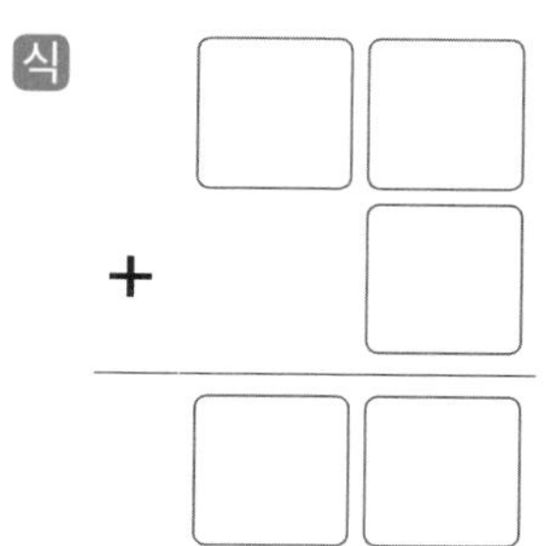

답  개

5 동호 할머니의 연세는 61세입니다. 동호 할아버지의 연세는 할머니보다 8살 더 많습니다. 할아버지의 연세는 몇 세일까요?

식

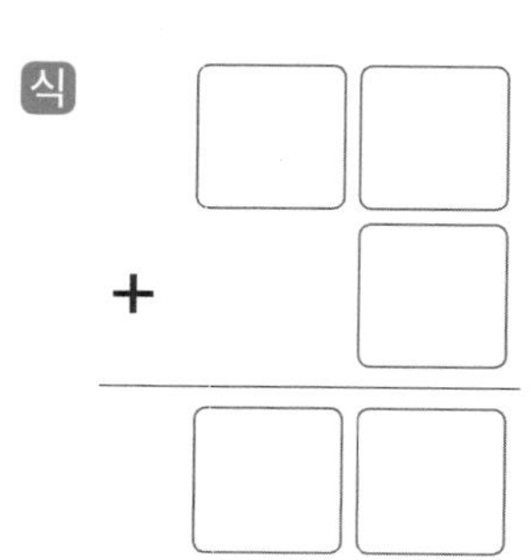

답 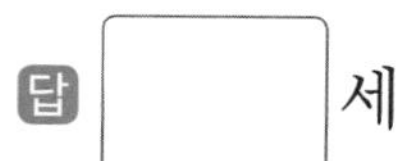 세

바꾸어 더하기

두 수를 바꾸어 더해 봅시다.

⑩ ⑩ ①	① ① ①
① ① ①	⑩ ⑩ ①

$21 + 3 = 24$

$3 + 21 = 24$

두 수를 바꾸어 더해도 계산 결과는 같습니다.

$42 + 6 = \square$

$6 + 42 = \square$

$74 + 5 = \square$

$5 + 74 = \square$

$51 + 7 = \square$

$7 + 51 = \square$

$$\begin{array}{r} 63 \\ +\ \ 2 \\ \hline \square \end{array} \qquad \begin{array}{r} 2 \\ +\ 63 \\ \hline \square \end{array}$$

$$\begin{array}{r} 36 \\ +\ \ 3 \\ \hline \square \end{array} \qquad \begin{array}{r} 3 \\ +\ 36 \\ \hline \square \end{array}$$

$$\begin{array}{r} 53 \\ +\ \ 4 \\ \hline \square \end{array} \qquad \begin{array}{r} 4 \\ +\ 53 \\ \hline \square \end{array}$$

$$\begin{array}{r} 84 \\ +\ \ 2 \\ \hline \square \end{array} \qquad \begin{array}{r} 2 \\ +\ 84 \\ \hline \square \end{array}$$

$84 + 3 = \square$
$3 + 84 = \square$

$43 + 5 = \square$
$5 + 43 = \square$

$63 + 2 = \square$
$2 + 63 = \square$

$36 + 3 = \square$
$3 + 36 = \square$

$52 + 4 = \square$
$4 + 52 = \square$

$23 + 4 = \square$
$4 + 23 = \square$

$$\begin{array}{r} 64 \\ +\ 4 \\ \hline \square \end{array} \quad \begin{array}{r} 4 \\ +\ 64 \\ \hline \square \end{array} \quad \begin{array}{r} 41 \\ +\ 6 \\ \hline \square \end{array} \quad \begin{array}{r} 6 \\ +\ 41 \\ \hline \square \end{array}$$

$$\begin{array}{r} 31 \\ +\ 5 \\ \hline \square \end{array} \quad \begin{array}{r} 5 \\ +\ 31 \\ \hline \square \end{array} \quad \begin{array}{r} 72 \\ +\ 2 \\ \hline \square \end{array} \quad \begin{array}{r} 2 \\ +\ 72 \\ \hline \square \end{array}$$

1 안의 수가 합이 되는 두 수를 모두 찾아 또는 로 묶으세요.

2	90	1
71	3	82
5	81	4

3	36	5
45	2	43
1	52	4

3	31	4
23	2	24
2	26	3

61	3	62
5	62	7
63	2	51

2 가로, 세로로 두 수의 합에 맞게 빈칸에 쓰세요.

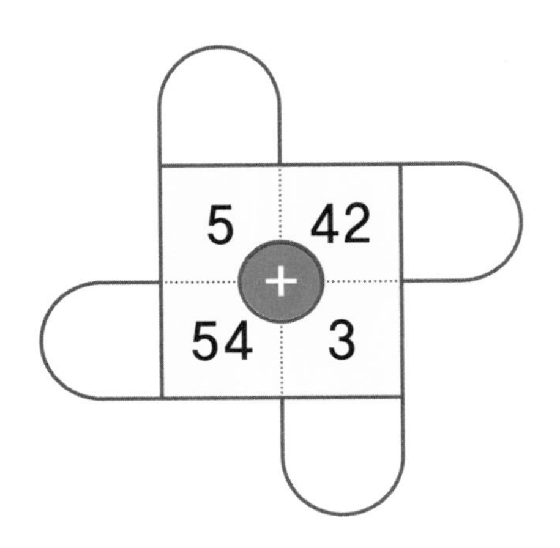

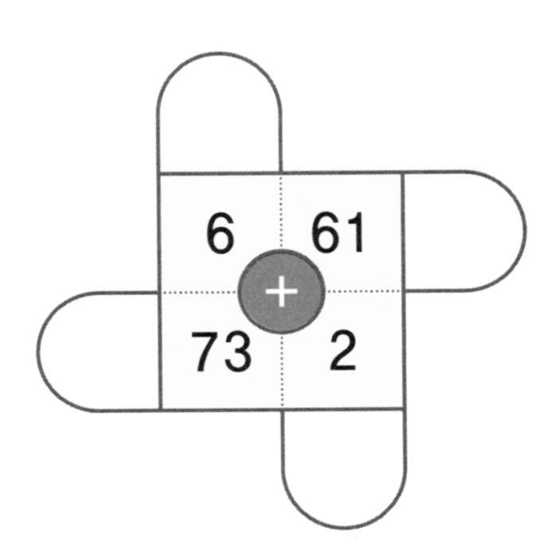

3 주어진 수와 기호를 이용하여 덧셈식 2개를 만드세요.

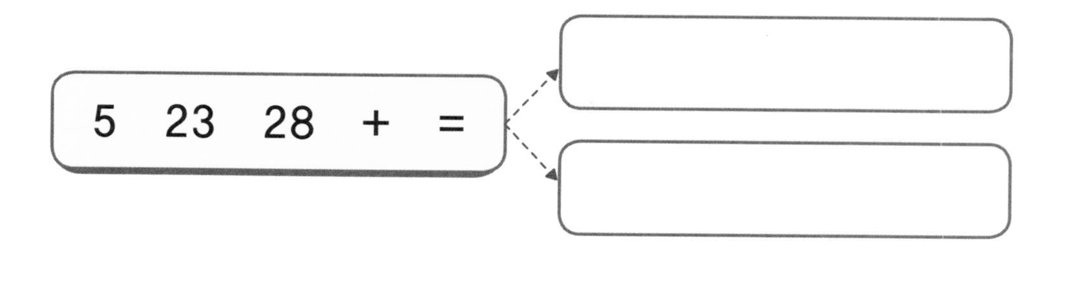

38 7 31 + =

4 □ 안에 알맞은 수를 쓰고, 관계있는 것끼리 연결하세요.

코끼리가 5마리, 사슴이 23마리 있습니다.	과일은 모두 몇 개일까요?	$2+42=$ □
튤립이 2송이, 장미가 42송이 있습니다.	꽃은 모두 몇 송이일까요?	$5+23=$ □
바나나가 7개, 오렌지가 32개 있습니다.	동물은 모두 몇 마리일까요?	$7+32=$ □

□가 있는 덧셈

?에 알맞은 수를 구해 봅시다.

⑩ ⑩
①　　?

⬇

⑩ ⑩
① ① ① ①

식 21+□=24

□= 3

?에 들어갈 수를 □라 하여 덧셈식을 세웁니다.

---

⑩ ⑩ ⑩ ⑩ ⑩ ⑩
① ① ① ①　　?

⬇

⑩ ⑩ ⑩ ⑩ ⑩ ⑩
① ① ① ① ① ①

식 ____________

□= ________

---

⑩ ⑩ ⑩ ⑩
① ① ①　　?

⬇

⑩ ⑩ ⑩ ⑩
① ① ① ① ① ① ① ①

식 ____________

□= ________

?　　⑩ ⑩ ⑩ ⑩ ⑩
① ①

⬇

⑩ ⑩ ⑩ ⑩ ⑩
① ① ① ① ①

식 ____________

□= ________

?　　⑩ ⑩ ⑩
①

⬇

⑩ ⑩ ⑩
① ① ① ① ① ① ① ① ①

식 ____________

□= ________

$33 + \square = 38$

$\square + 4 = 48$

$74 + \square = 76$

$54 + \square = 57$

$\square + 2 = 64$

$21 + \square = 29$

$42 + \square = 46$

$\square + 2 = 85$

$35 + \square = 39$

$73 + \square = 79$

$\square + 2 = 63$

$62 + \square = 67$

$$\begin{array}{r} 3\ 4 \\ +\ \ \square \\ \hline 3\ 8 \end{array}$$

$$\begin{array}{r} 7\ 2 \\ +\ \ \square \\ \hline 7\ 9 \end{array}$$

$$\begin{array}{r} 4\ 3 \\ +\ \ \square \\ \hline 4\ 5 \end{array}$$

$$\begin{array}{r} \square \\ +\ \ 3 \\ \hline 8\ 7 \end{array}$$

$$\begin{array}{r} \square \\ +\ \ 3 \\ \hline 2\ 8 \end{array}$$

$$\begin{array}{r} \square \\ +\ \ 4 \\ \hline 6\ 6 \end{array}$$

1 계산에 맞게 선을 그으세요.

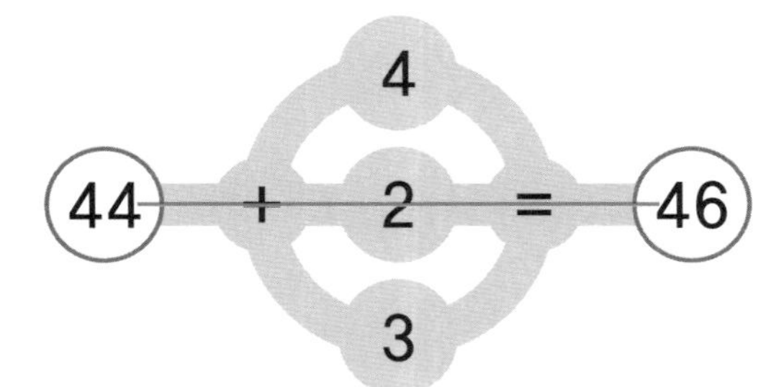

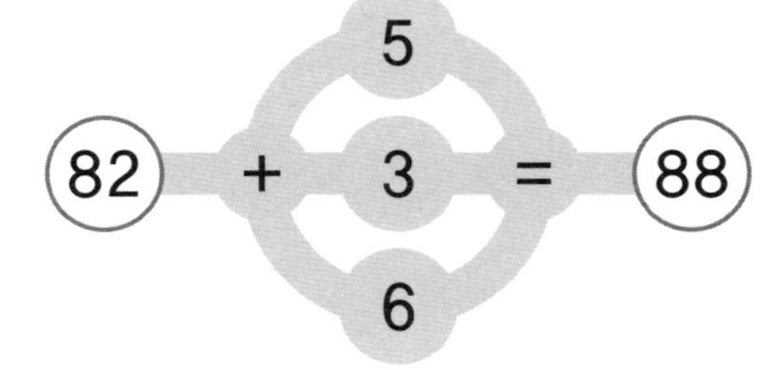

	5			
75	+	2	=	79
		4		

	5			
51	+	3	=	56
		6		

2 ◯ 안에 알맞은 수를 찾고 덧셈을 하여 빈칸을 채우세요.

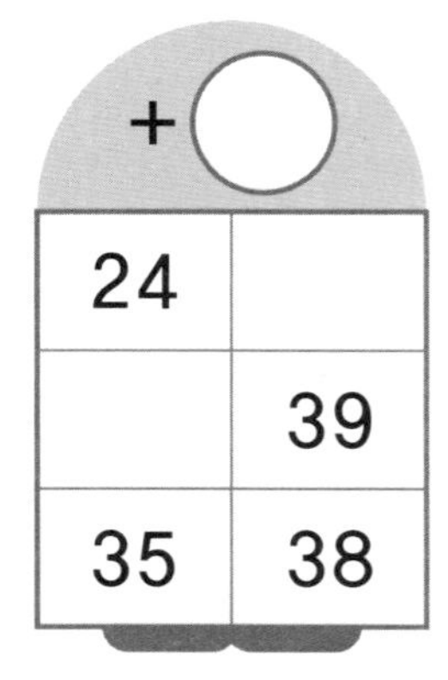

+ ◯

	39
42	47
31	

+ ◯

62	64
61	
	74

3 관계있는 것끼리 연결하세요.

사탕이 36개가 있습니다. 몇 개 더 사왔더니 모두 39개가 되었습니다.	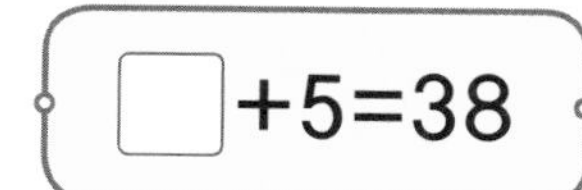 □+5=38	□=4
밤을 몇 개 주웠습니다. 5개 더 주웠더니 38개가 되었습니다.	36+□=39	□=33
공이 54개 있습니다. 몇 개 더 가져왔더니 모두 58개가 되었습니다.	54+□=58	□=3

4 다음과 같이 밑줄 친 곳에 알맞게 쓰고, 어떤 수를 구하세요.

어떤 수에 4를 더한 수는 51보다 7 큰 수입니다.

□ +4 58

□+4=58

□= 54

72에 어떤 수를 더한 수는 75보다 3 큰 수입니다.

______

□= ______

어떤 수에 2를 더한 수는 23보다 5 큰 수입니다.

______

□= ______

형성평가

1 덧셈에 맞게 알맞게 선을 이으세요.

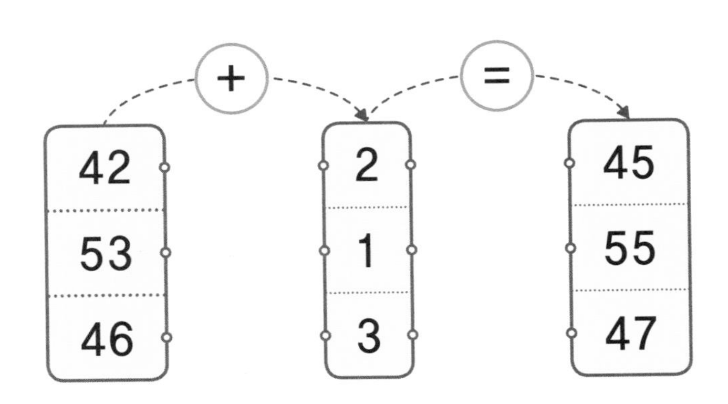

2 닭이 달걀을 어제는 32개, 오늘은 7개 낳았습니다. 어제와 오늘 낳은 달걀은 모두 몇 개일까요?

식 ☐ + ☐ = ☐　　답 ☐ 개

3 ☐ 안의 수를 모두 사용하여 덧셈식을 완성하세요.

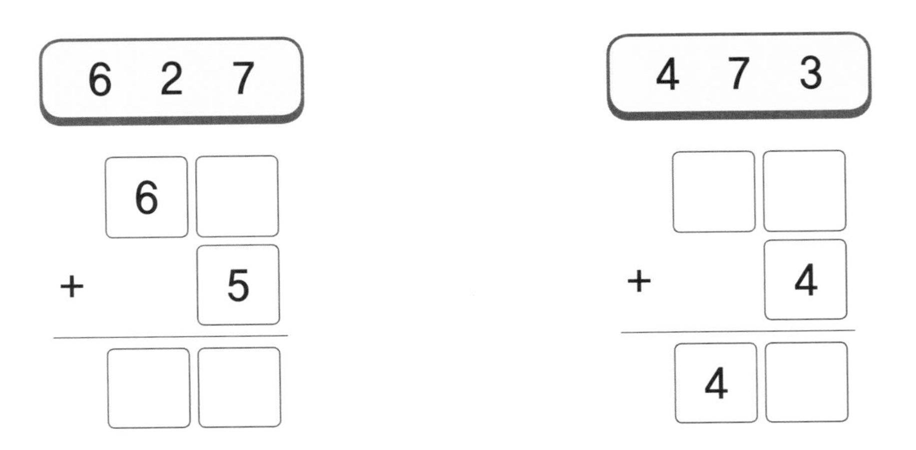

4 재영이 어머니의 연세는 45세입니다. 아버지는 어머니보다 3살 더 많습니다. 재영이 아버지는 몇 세일까요?

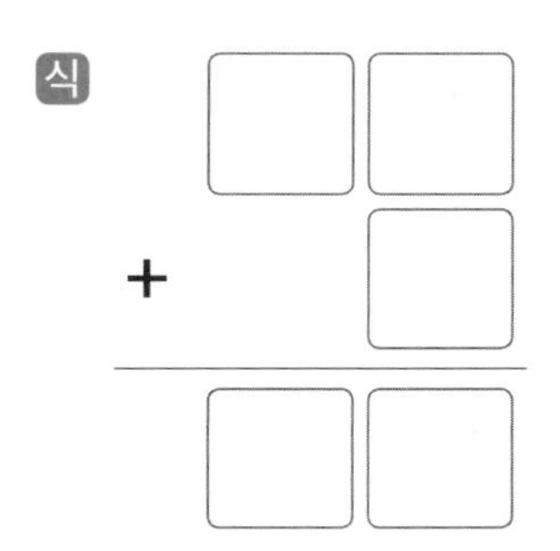

5 □ 안에 알맞은 수를 쓰세요.

$63 + 3 = \square$
$3 + 63 = \square$

$37 + 2 = \square$
$2 + 37 = \square$

6 안의 수가 합이 되는 두 수를 모두 찾아 ⬭ 또는 ⬯로 묶으세요.

55	2	54
3	50	4
51	5	42

3	31	6
30	4	32
6	33	5

7 주어진 수와 기호를 이용하여 덧셈식 2개를 만들어 보세요.

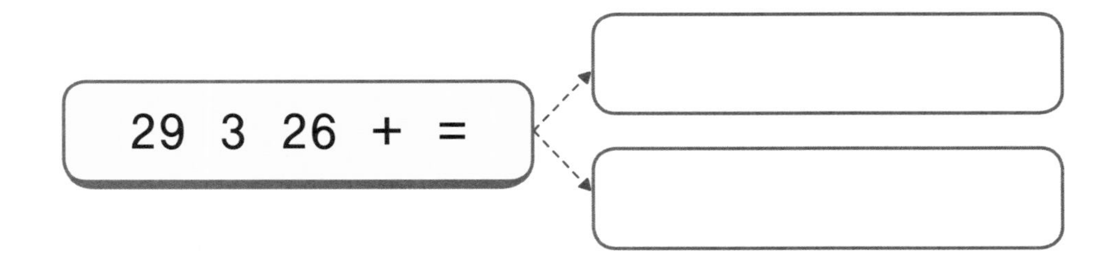

8 ○ 안에 알맞은 수를 찾고 덧셈을 하여 빈칸을 채우세요.

+ ○	
63	
62	67
	79

+ ○	
	56
32	
46	48

+ ○	
84	88
71	
	77

9 어떤 수에 6을 더한 수는 33보다 6 큰 수입니다. 어떤 수는 얼마일까요?

뺄셈하기

받아내림이 없는 두 자리 수와 한 자리 수의 뺄셈

몇십몇 - 몇

개념원리

빨셈을 해 봅시다.

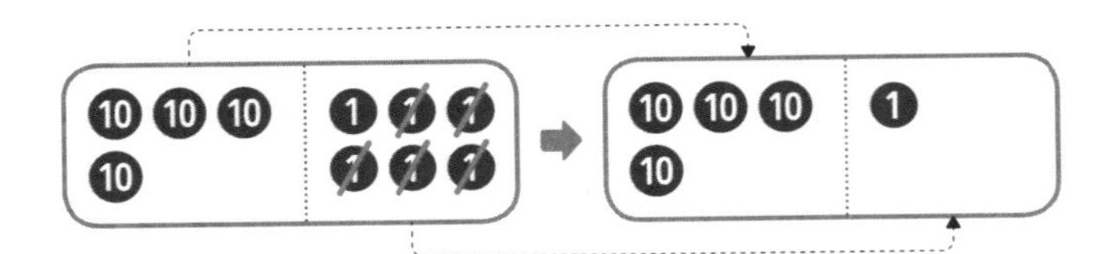

4

46 − 5 = 4 1

6−5

십의 자리 숫자는 그대로 쓰고 일의 자리 숫자끼리 빼서 일의 자리에 씁니다.

3

39 − 7 = ☐ ☐

9−7

5

54 − 2 = ☐ ☐

4−2

64 − 4 = ☐ ☐

89 − 8 = ☐ ☐

28 − 6 = ☐ ☐

57 − 3 = ☐ ☐

75 − 2 = ☐ ☐

43 − 1 = ☐ ☐

$38-4=\square$	$79-8=\square$	$65-2=\square$
$49-7=\square$	$27-5=\square$	$88-3=\square$
$63-1=\square$	$18-6=\square$	$57-4=\square$
$74-3=\square$	$84-2=\square$	$38-7=\square$
$59-6=\square$	$46-5=\square$	$38-4=\square$
$28-2=\square$	$76-3=\square$	$68-6=\square$

1 뺄셈에 맞게 알맞게 선을 이으세요.

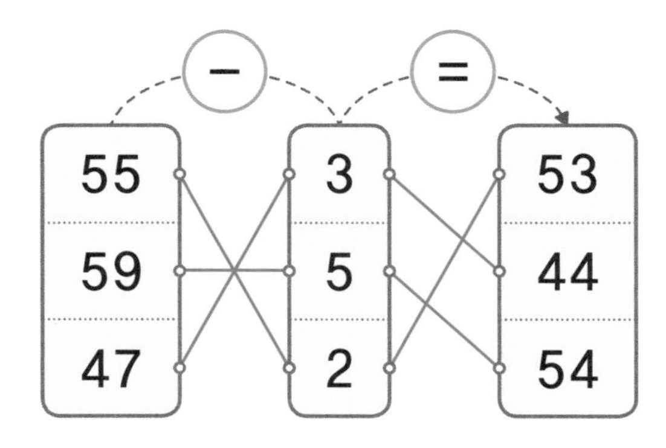

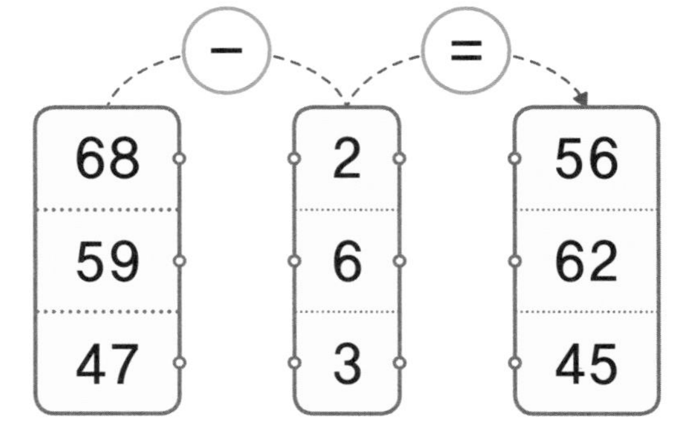

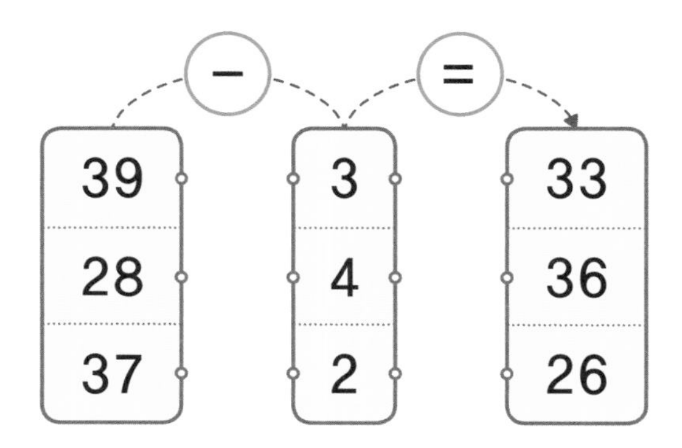

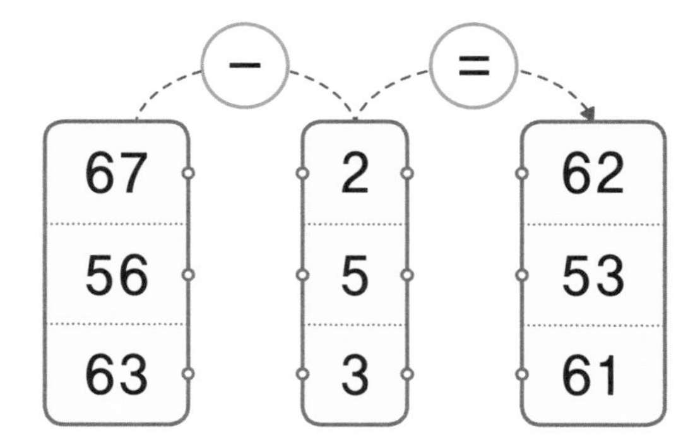

2 짝지은 두 수의 차를 빈칸에 쓰세요.

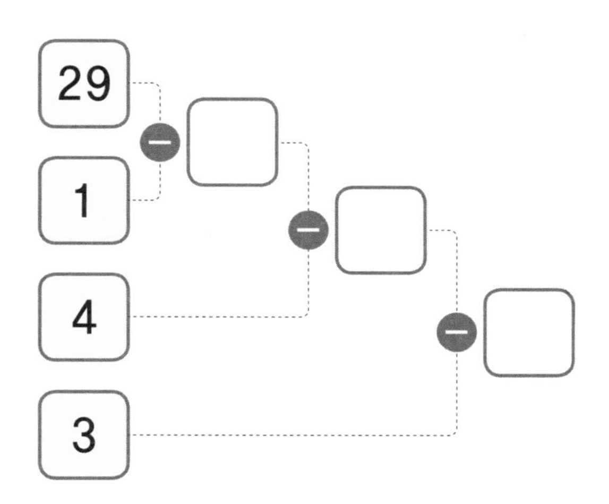

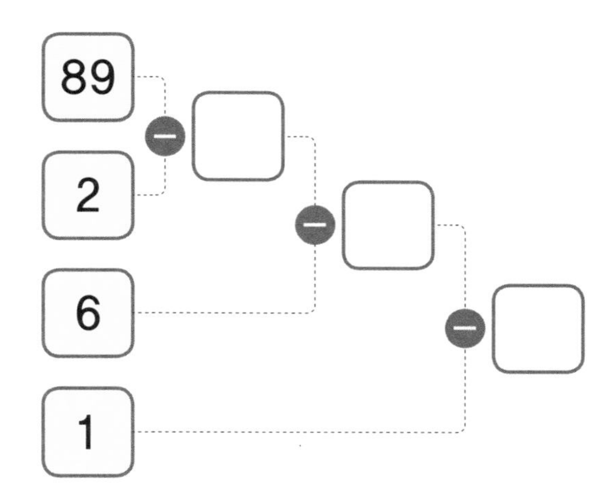

3 그림과 식을 알맞게 선으로 이으세요.

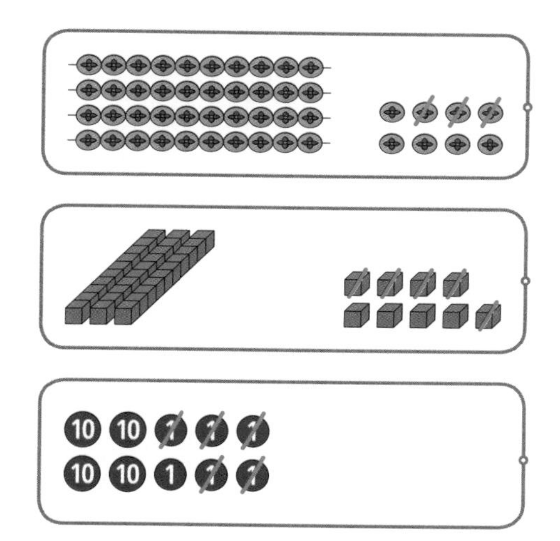

46 − 5

39 − 5

48 − 3

4 방울토마토가 78개 있습니다. 그중에서 8개를 먹었다면 남은 방울토마토는 몇 개일까요?

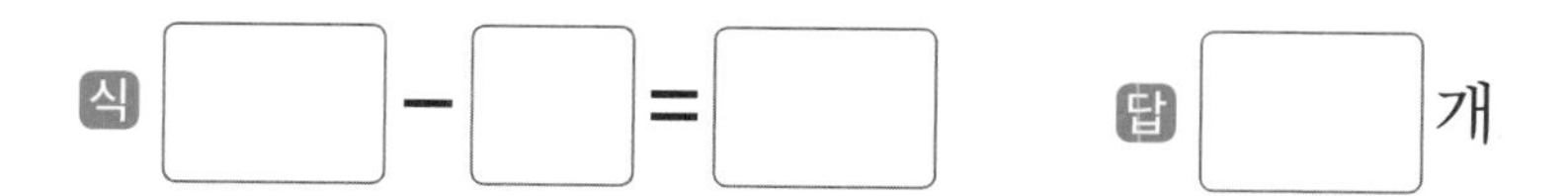

5 버스에 39명이 타고 있습니다. 첫 번째 정류장에서 5명이 내렸습니다. 버스 안에는 몇 명이 타고 있을까요?

식 □ − □ = □ 답 □ 명

세로셈으로 뺄셈하기

개념원리

세로 방식으로 뺄셈을 해 봅시다.

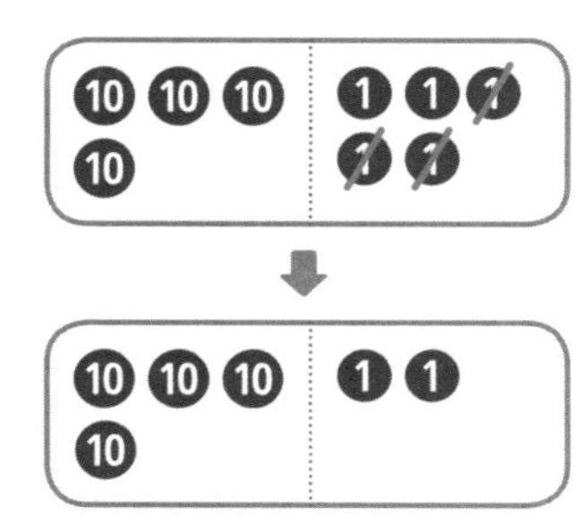

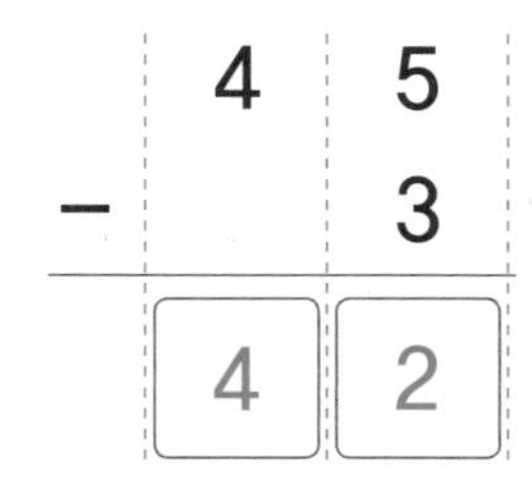

십의 자리 숫자는 그대로 쓰고
일의 자리 숫자끼리 빼서 일의 자리에 씁니다.

$$\begin{array}{r} 58 \\ -\ \ 7 \\ \hline \square\square \end{array} \qquad \begin{array}{r} 66 \\ -\ \ 4 \\ \hline \square\square \end{array} \qquad \begin{array}{r} 35 \\ -\ \ 2 \\ \hline \square\square \end{array}$$

$$\begin{array}{r} 74 \\ -\ \ 2 \\ \hline \square\square \end{array} \qquad \begin{array}{r} 28 \\ -\ \ 5 \\ \hline \square\square \end{array} \qquad \begin{array}{r} 52 \\ -\ \ 1 \\ \hline \square\square \end{array}$$

$$\begin{array}{r} 82 \\ -\ \ 2 \\ \hline \square\square \end{array} \qquad \begin{array}{r} 47 \\ -\ \ 6 \\ \hline \square\square \end{array} \qquad \begin{array}{r} 69 \\ -\ \ 4 \\ \hline \square\square \end{array}$$

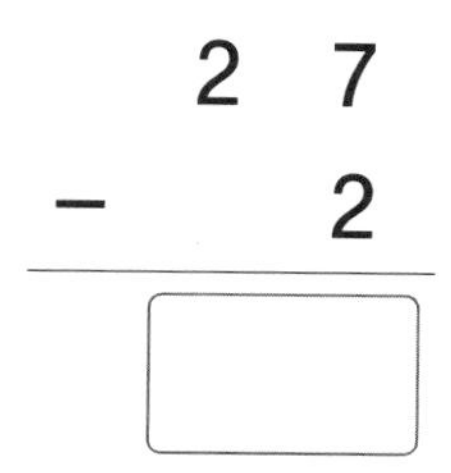

$$\begin{array}{r} 2\ 7 \\ -\quad 2 \\ \hline \square \end{array}$$

$$\begin{array}{r} 3\ 5 \\ -\quad 3 \\ \hline \square \end{array}$$

$$\begin{array}{r} 5\ 9 \\ -\quad 4 \\ \hline \square \end{array}$$

$$\begin{array}{r} 9\ 4 \\ -\quad 3 \\ \hline \square \end{array}$$

$$\begin{array}{r} 7\ 6 \\ -\quad 2 \\ \hline \square \end{array}$$

$$\begin{array}{r} 8\ 8 \\ -\quad 4 \\ \hline \square \end{array}$$

$$\begin{array}{r} 4\ 5 \\ -\quad 4 \\ \hline \square \end{array}$$

$$\begin{array}{r} 6\ 8 \\ -\quad 4 \\ \hline \square \end{array}$$

$$\begin{array}{r} 3\ 6 \\ -\quad 2 \\ \hline \square \end{array}$$

$$\begin{array}{r} 7\ 3 \\ -\quad 2 \\ \hline \square \end{array}$$

$$\begin{array}{r} 5\ 6 \\ -\quad 4 \\ \hline \square \end{array}$$

$$\begin{array}{r} 4\ 7 \\ -\quad 3 \\ \hline \square \end{array}$$

$$\begin{array}{r} 9\ 6 \\ -\quad 3 \\ \hline \square \end{array}$$

$$\begin{array}{r} 2\ 9 \\ -\quad 3 \\ \hline \square \end{array}$$

$$\begin{array}{r} 7\ 5 \\ -\quad 1 \\ \hline \square \end{array}$$

1 □ 안에 알맞은 수를 쓰세요.

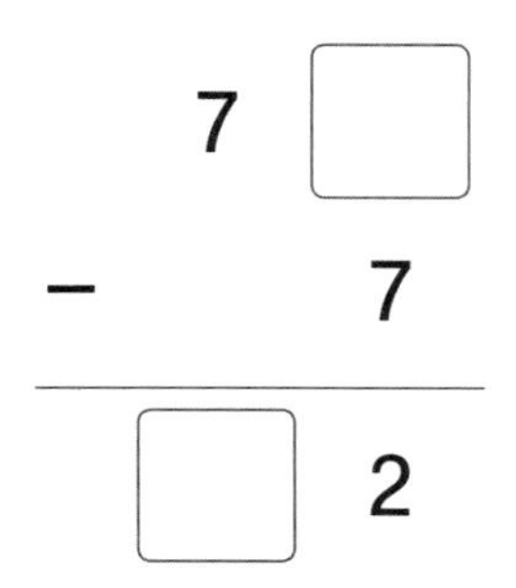

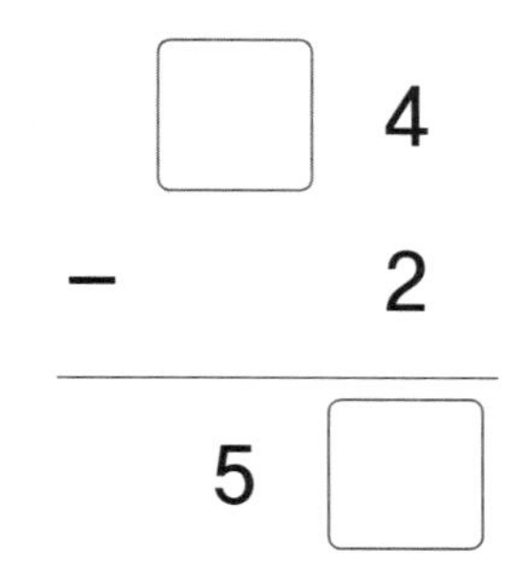

$$\begin{array}{r} 8\ 3 \\ -\ \ \square \\ \hline \square\ 2 \end{array}$$

2 ▭ 안의 세 수를 모두 사용하여 뺄셈식을 완성하세요.

8 5 6

$$\begin{array}{r} 5\ 8 \\ -\ \ 2 \\ \hline 5\ 6 \end{array}$$

7 1 6

$$\begin{array}{r} 7\ \square \\ -\ \ 5 \\ \hline \square\ \square \end{array}$$

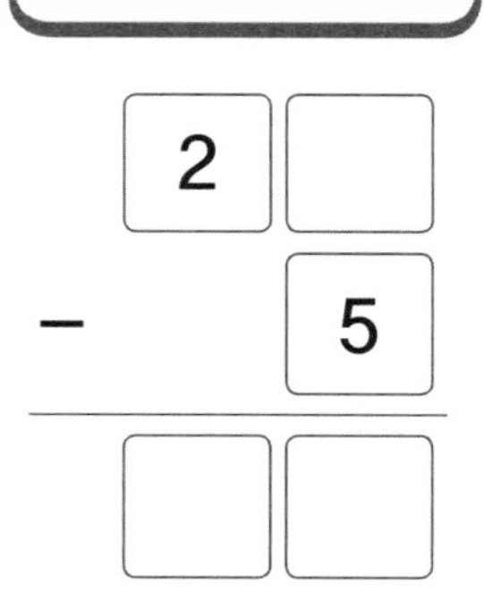

9 3 7

$$\begin{array}{r} 9\ \square \\ -\ \ 4 \\ \hline \square\ \square \end{array}$$

8 4 5

$$\begin{array}{r} \square\ \square \\ -\ \ 3 \\ \hline 4\ \square \end{array}$$

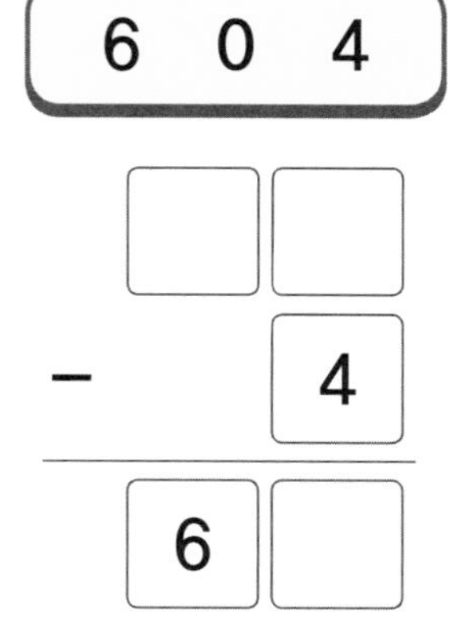

3 주어진 수를 모두 사용하여 뺄셈식을 만드세요.

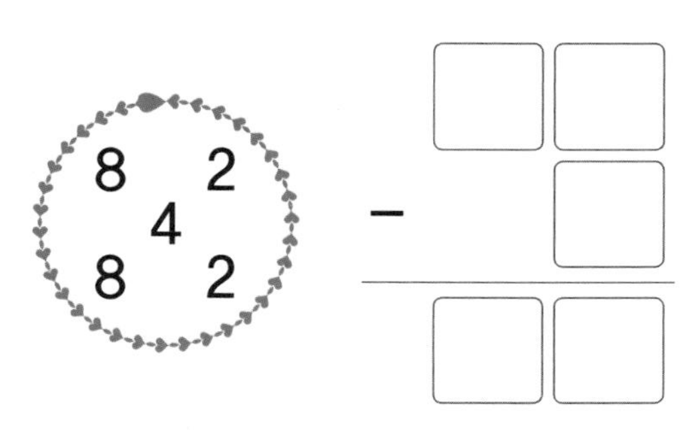

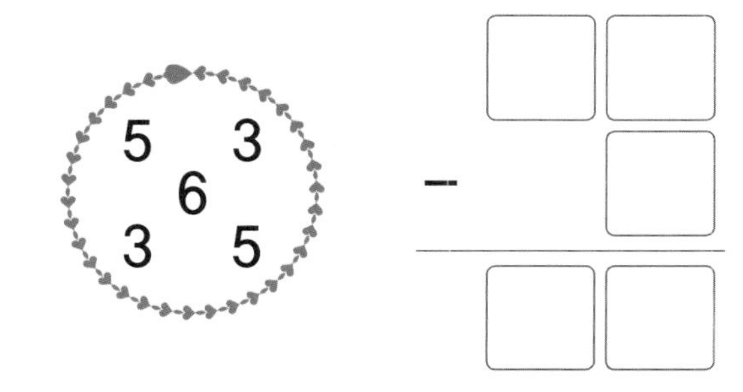

4 주차장에 자동차가 97대 있습니다. 3대가 빠져나갔다면 주차장에 남아 있는 자동차는 몇 대일까요?

식

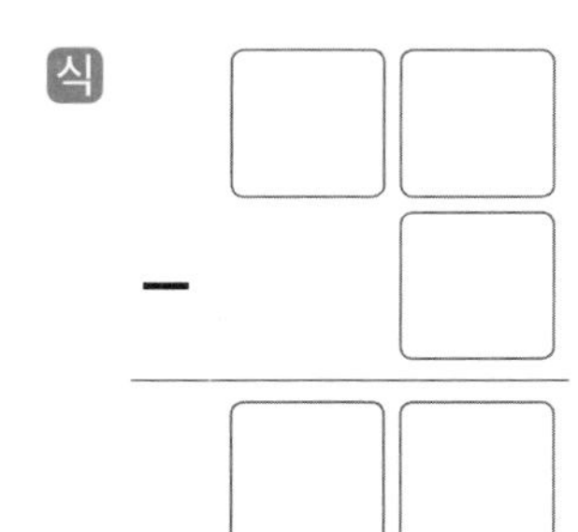

답 □ 대

5 수홍이 할아버지의 연세는 79세입니다. 할머니는 할아버지보다 6살 적습니다. 할머니는 몇 세일까요?

식

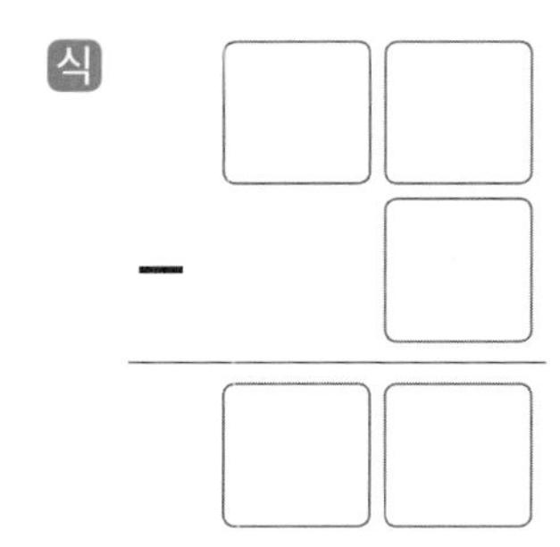

답 □ 세

두 수의 차

하나씩 선을 잇고 두 수의 차를 구해 봅시다.

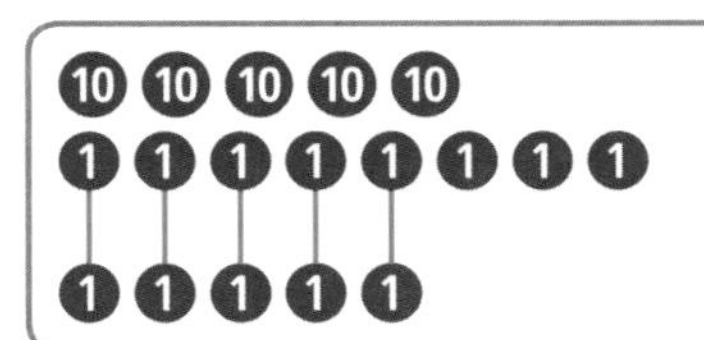

58 − 5 = 53

하나씩 선으로 잇고 남은 수는
두 수의 차입니다.

10 10 10 10 10 10
1 1 1 1 1

1 1 1 1

□ − □ = □

10 10 10 10
1 1 1 1 1 1

1 1 1

□ − □ = □

10 10 10 10 10 10 10 10
1 1 1

1

□ − □ = □

10 10 10
1 1 1 1 1 1 1 1 1

1 1 1 1 1 1

□ − □ = □

10 10 10 10 10 10 10
1 1 1 1 1 1 1

1 1 1

□ − □ = □

10 10 10 10 10 10 10 10 10
1 1 1 1 1 1 1 1

1 1 1 1 1 1 1

□ − □ = □

(37, 3)

괄호 안 두 수의 차를
구하는 식을 쓰세요.

(66, 4)

$\square - \square = \square$

(45, 4)

(59, 5)

(84, 2)

(26, 3)

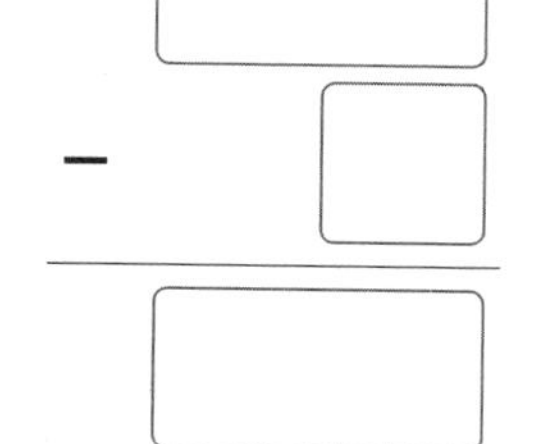

(63, 3)

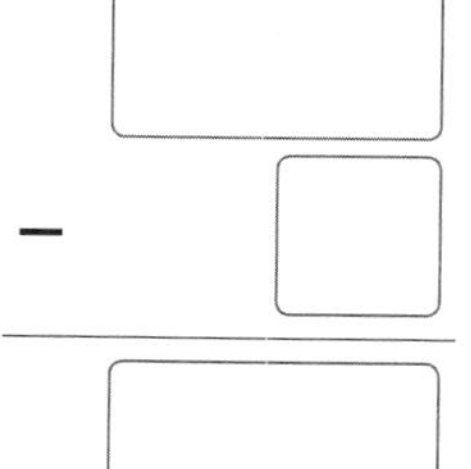

(49, 6)

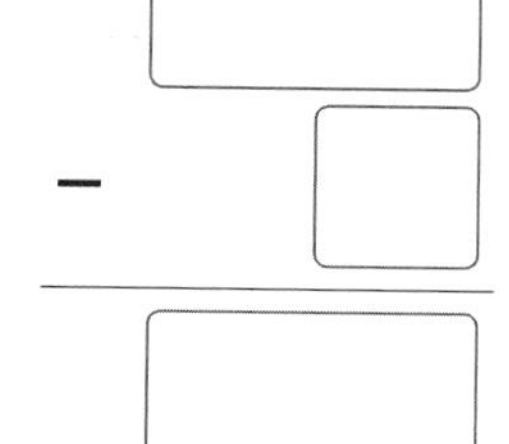

(98, 4)

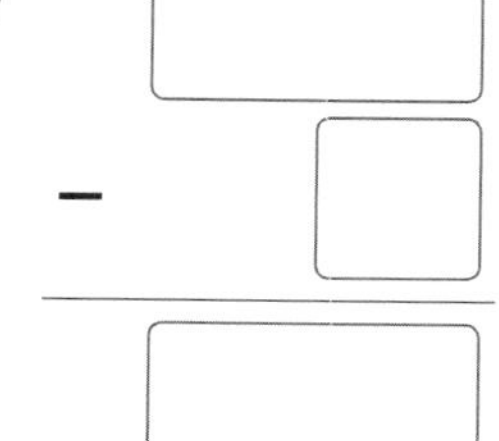

1 차가 가운데 수가 되는 두 수에 색칠하고 뺄셈식을 완성하세요.

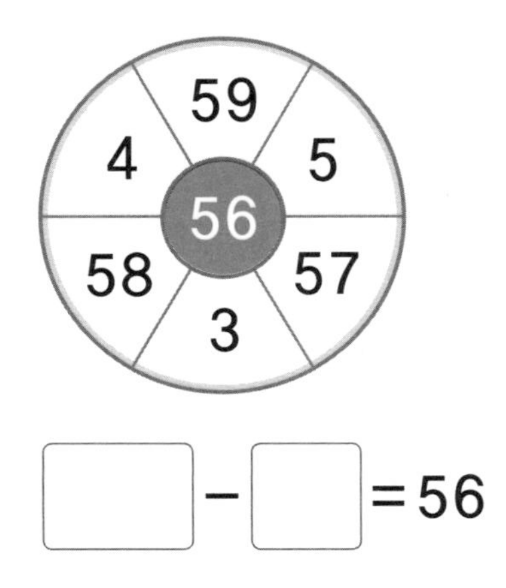

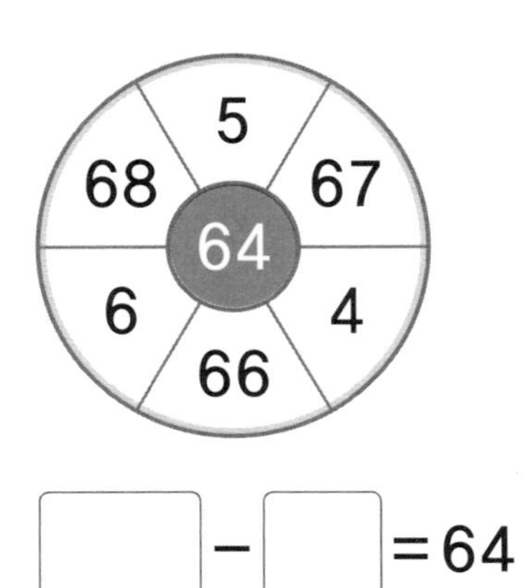

☐ − ☐ = 56

☐ − ☐ = 64

2 ◆ 안의 수가 차가 되는 두 수를 모두 찾아 ⬭ 또는 ⬯ 로 묶으세요.

48	5	47
4	45	3
46	2	44

3	72	6
74	2	78
4	75	5

2	88	3
85	4	87
1	86	5

38	2	37
1	35	3
36	4	39

3 수 배열표의 일부입니다. 같은 모양의 수끼리 차를 구하세요.

★	3	◆	5	♥	7	
		14				
	23				◆	
			35			38
	43					♥
52	★				57	

★: ☐ − ☐ = ☐

◆: ☐ − ☐ = ☐

♥: ☐ − ☐ = ☐

4 알맞은 말에 ◯표 하고, 식을 완성하세요.

오리가 8마리, 병아리가 39마리 있습니다.
(오리 , 병아리)는 (오리 , 병아리)보다 몇 마리 더 많을까요?

식 ☐ − ☐ = ☐ 답 ☐ 마리

남학생이 28명, 여학생이 7명 있습니다.
(남학생 , 여학생)은 (남학생 , 여학생)보다 몇 명 더 많을까요?

식 ☐ − ☐ = ☐ 답 ☐ 명

□가 있는 뺄셈

빼는 수만큼 ／로 지우고, 뺄셈식을 완성하여 봅시다.

⑩⑩⑩⑩
①①①①①① (①①① 지움)

$46 - \boxed{3} = 43$

46에서 43을 남기고 지우려면 ／로 3만큼 지워야 합니다.

⑩⑩⑩⑩⑩⑩⑩
①①①①①①①① (①①①① 지움)

$\boxed{78} - 4 = \boxed{74}$

빼는 수 4만큼 ／로 지우면 78에서 남은 수는 74가 됩니다.

⑩⑩⑩⑩⑩⑩⑩
①①

$72 - \square = 70$

⑩⑩⑩⑩⑩
①①①①①①

$\square - 5 = \square$

⑩⑩⑩⑩⑩⑩
①①①①①①①

$67 - \square = 63$

⑩⑩
①①①①①

$\square - 2 = \square$

⑩⑩⑩
①①①①①①①

$37 - \square = 34$

⑩⑩⑩⑩⑩⑩⑩⑩
①①①①①①①

$\square - 5 = \square$

$56 - \square = 54$

$\square - 5 = 22$

$79 - \square = 74$

$38 - \square = 33$

$\square - 4 = 80$

$46 - \square = 43$

$69 - \square = 61$

$\square - 2 = 43$

$38 - \square = 32$

$78 - \square = 76$

$\square - 3 = 64$

$66 - \square = 65$

$$\begin{array}{r} 3\ 9 \\ -\ \ \square \\ \hline 3\ 3 \end{array}$$

$$\begin{array}{r} 7\ 4 \\ -\ \ \square \\ \hline 7\ 2 \end{array}$$

$$\begin{array}{r} 5\ 8 \\ -\ \ \square \\ \hline 5\ 1 \end{array}$$

$$\begin{array}{r} \square \\ -\ \ 3 \\ \hline 6\ 5 \end{array}$$

$$\begin{array}{r} \square \\ -\ \ 5 \\ \hline 2\ 1 \end{array}$$

$$\begin{array}{r} \square \\ -\ \ 4 \\ \hline 4\ 3 \end{array}$$

1 계산에 맞게 선을 그으세요.

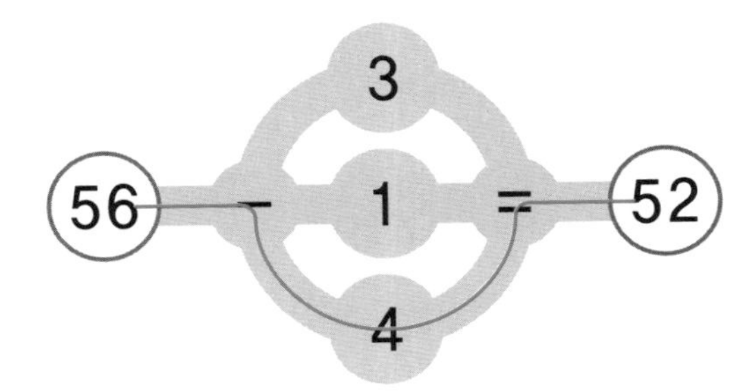

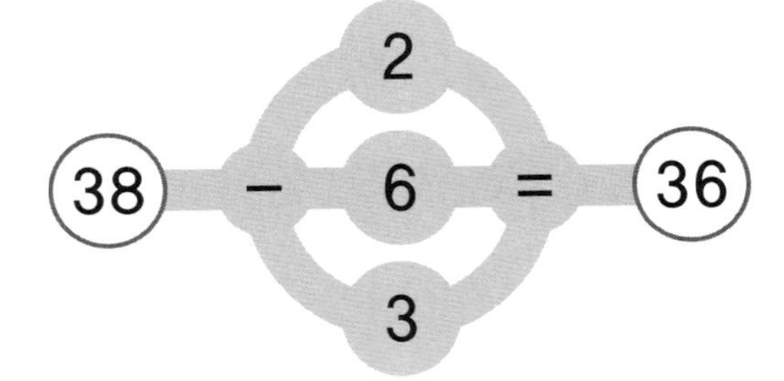

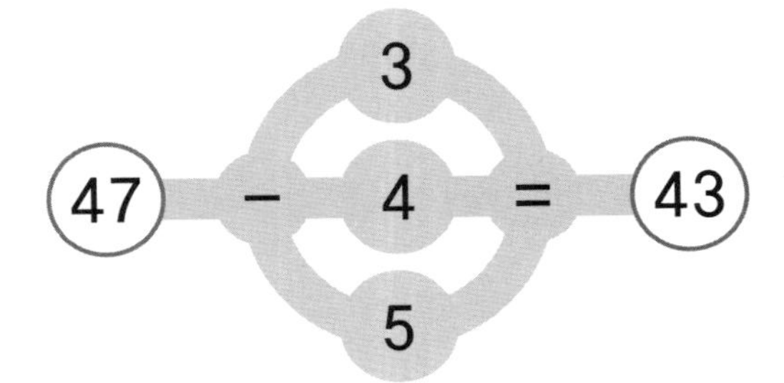

69 － 4 5 6 = 63

2 ◯ 안에 알맞은 수를 찾고 뺄셈을 하여 빈칸을 채우세요.

－ ◯

65	
64	61
73	

－ ◯

	25
36	34
25	

－ ◯

47	42
	61
69	

3 다음과 같이 밑줄 친 곳에 알맞게 쓰고, 어떤 수를 구하세요.

68에서 어떤 수를 뺀 수는 65보다 3 작은 수입니다.
68 −□ 62

68−□=62

□= 6

29에서 어떤 수를 뺀 수는 26보다 5 작은 수입니다.

□=

어떤 수에서 5를 뺀 수는 49보다 8 작은 수입니다.

□=

4 밑줄 친 몇을 □라 하여 식을 세우고 □의 값을 구하세요.

초콜릿이 37개 있습니다. 동생에게 몇 개 주었더니 33개가 남았습니다.
□

식 　　　　□= 　　　개

색종이가 몇 장 있습니다. 친구에게 5장 주었더니 51장이 남았습니다.
□

식 　　　　□= 　　　개

형성평가

1 뺄셈에 맞게 알맞게 선을 이으세요.

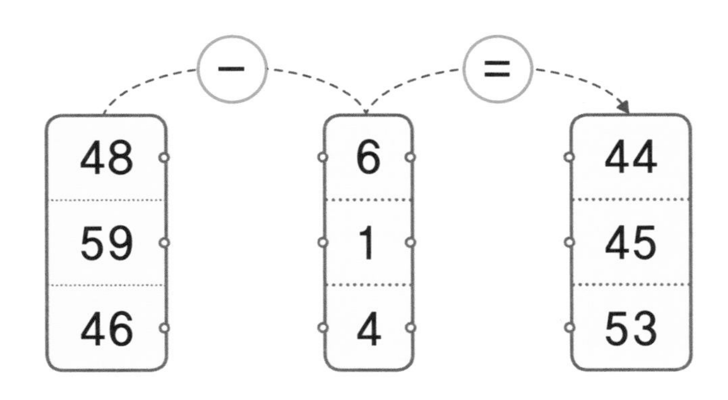

2 밤나무에 밤이 74개 열렸습니다. 그중에서 3개가 떨어졌다면 밤나무에 남아 있는 밤은 몇 개일까요?

식 ☐ − ☐ = ☐   답 ☐ 개

3 ☐ 안의 세 수를 모두 사용하여 뺄셈식을 완성하세요.

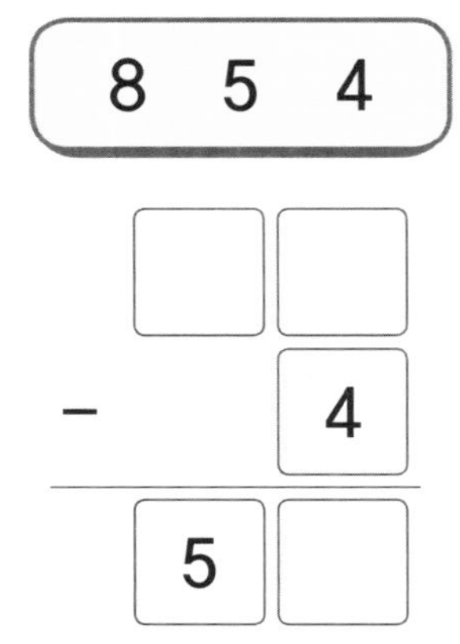

7 2 4

	7	☐
−		2
	☐	☐

4 쿠키가 58개 있습니다. 누나와 함께 쿠키 6개를 먹었습니다. 남은 쿠키는 몇 개일까요?

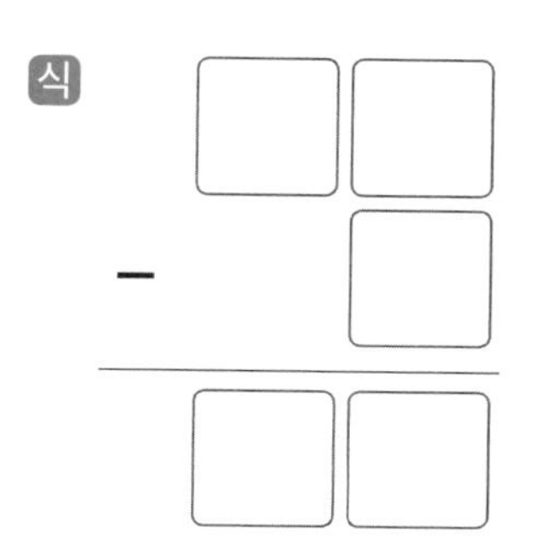

답 ☐개

5 두 수의 차를 구하세요.

39, 7

☐ − ☐ = ☐

6 ✹ 안의 수가 차가 되는 두 수를 모두 찾아 ⬭ 또는 ⬯ 로 묶으세요.

69	4	66
5	68	2
65	1	67

57	5	55
4	59	6
54	2	56

7 알맞은 말에 ◯표 하고, 식을 완성하세요.

딸기가 5개, 토마토가 38개 있습니다.
(딸기 , 토마토)는 (딸기 , 토마토)보다 몇 개 더 많을까요?

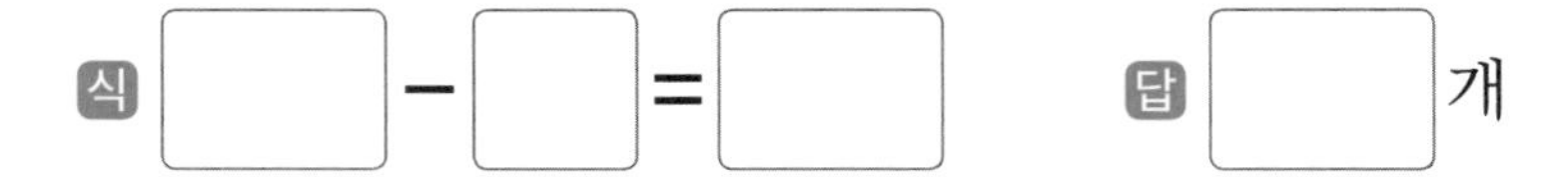

8 ◯ 안에 알맞은 수를 찾고 뺄셈을 하여 빈칸을 채우세요.

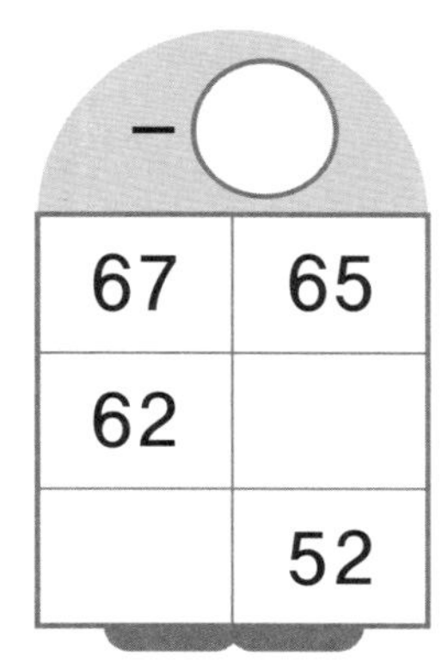

− ◯

67	65
62	
	52

− ◯

68	
57	53
	51

− ◯

	21
75	
37	32

9 밑줄 친 몇을 □라 하여 식을 세우고 □의 값을 구하세요.

사탕이 48개 있습니다. 형에게 몇 개 주었더니 42개 남았습니다.

식 __________ □= ______ 개

덧셈과 뺄셈

받아올림 없는 덧셈과 받아내림 없는 뺄셈의 혼합

덧셈과 뺄셈

그림을 보고 덧셈과 뺄셈을 해 봅시다.

46+2=48

46에 2를 더해서 48이 되었습니다.

65−2=63

65에서 2를 뺐더니 63이 되었습니다.

$43+2=\square$ $29-6=\square$ $51+3=\square$

$37-4=\square$ $63+5=\square$ $72-2=\square$

$84+5=\square$ $57-2=\square$ $42+1=\square$

$39-3=\square$ $64+2=\square$ $25-3=\square$

$$\begin{array}{r} 34 \\ +\ \ 5 \\ \hline \square \end{array} \quad \begin{array}{r} 76 \\ -\ \ 4 \\ \hline \square \end{array} \quad \begin{array}{r} 56 \\ +\ \ 2 \\ \hline \square \end{array}$$

$$\begin{array}{r} 78 \\ -\ \ 1 \\ \hline \square \end{array} \quad \begin{array}{r} 26 \\ +\ \ 3 \\ \hline \square \end{array} \quad \begin{array}{r} 45 \\ -\ \ 2 \\ \hline \square \end{array}$$

1 계산을 한 다음 알맞게 선으로 이으세요.

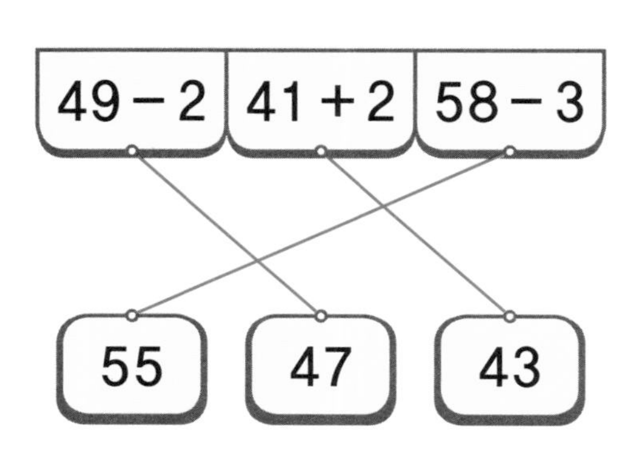

63 + 3 | 65 − 2 | 71 + 2

73 | 63 | 66

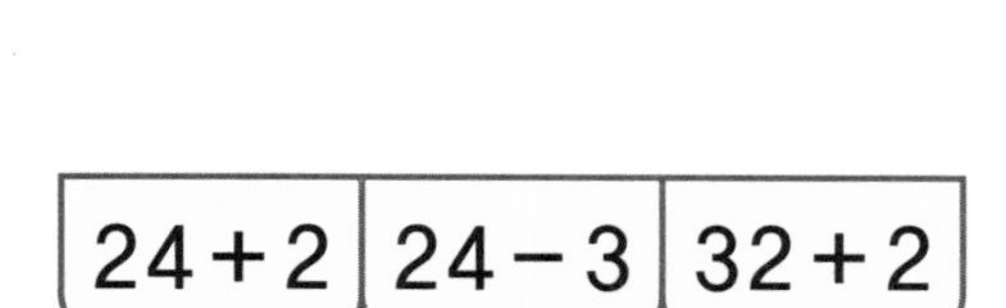

34 | 21 | 26

56 − 3 | 52 + 6 | 68 − 4

58 | 64 | 53

2 덧셈, 뺄셈을 하여 빈칸에 알맞은 수를 쓰세요.

64 →(+5) □ →(−3) □ →(+1) □

48 →(−5) □ →(+4) □ →(−7) □

3 체육관에 축구공 25개, 농구공 3개, 배구공 4개가 있습니다. 알맞은 것끼리 선으로 연결하고, □ 안에 알맞은 수를 쓰세요.

축구공은 농구공보다 몇 개 더 많을까요?	$25+3=\square$
축구공과 배구공은 모두 몇 개일까요?	$25-3=\square$
축구공은 배구공보다 몇 개 더 많을까요?	$25+4=\square$
축구공과 농구공은 모두 몇 개일까요?	$25-4=\square$

4 버스 안에 어른 35명, 어린이 4명이 타고 있습니다. 물음에 맞게 식과 답을 쓰세요.

어른과 어린이는 모두 몇 명일까요?

식 ______________ 답 ________ 명

어른은 어린이보다 몇 명 더 많을까요?

식 ______________ 답 ________ 명

□가 있는 덧셈과 뺄셈

□ 안에 알맞은 수를 넣고, 식을 완성하여 봅시다.

32	6
38	

$32 + \boxed{6} = 38$

32와 □ 안의 수의 합은 38입니다.

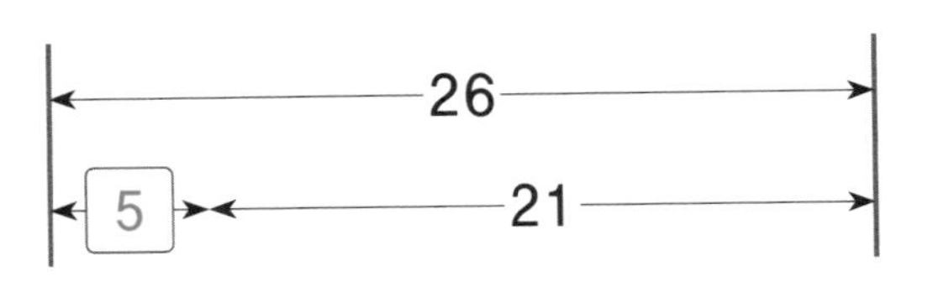

$26 - \boxed{5} = 21$

26에서 □ 안의 수를 빼면 21입니다.

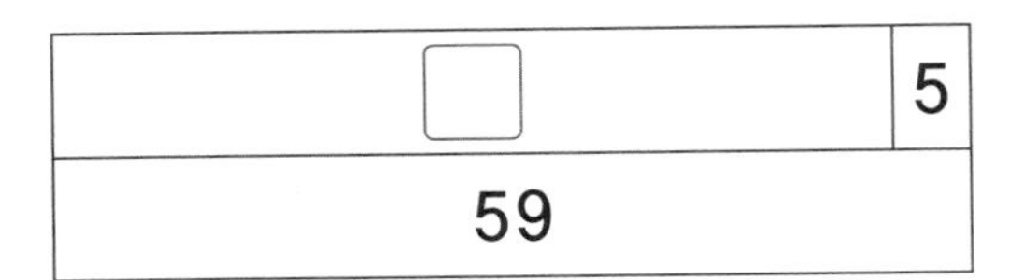

$\square + 5 = 59$

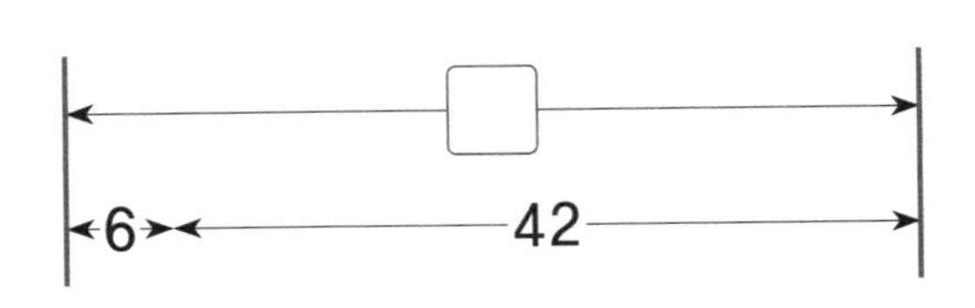

$\square - 6 = 42$

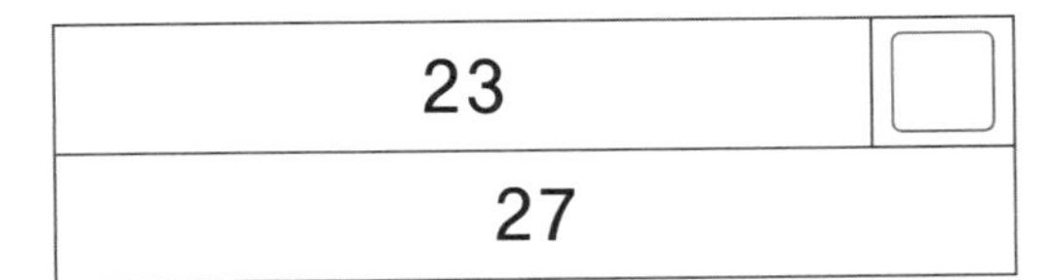

$23 + \square = 27$

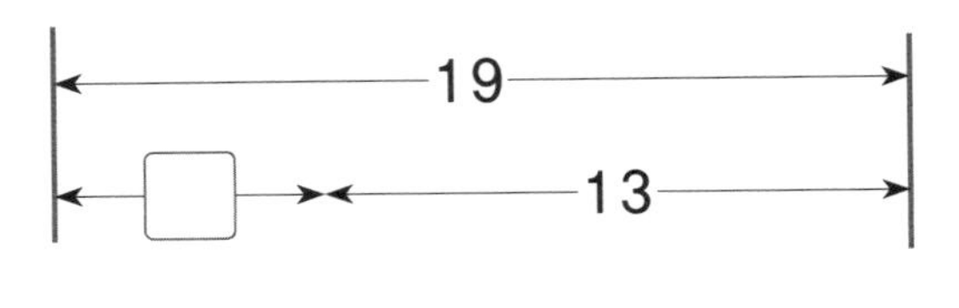

$19 - \square = 13$

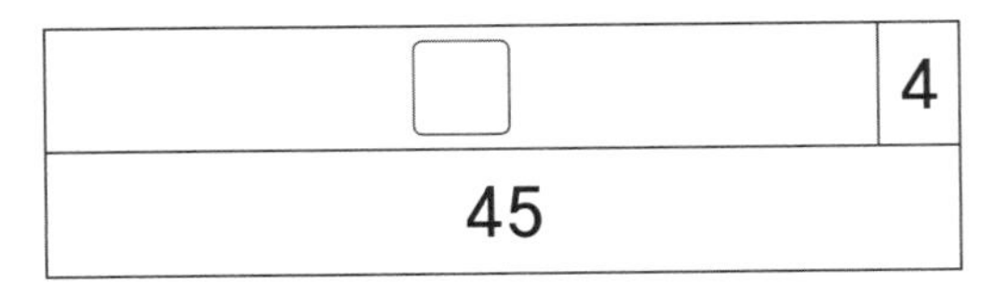

$\square + 4 = 45$

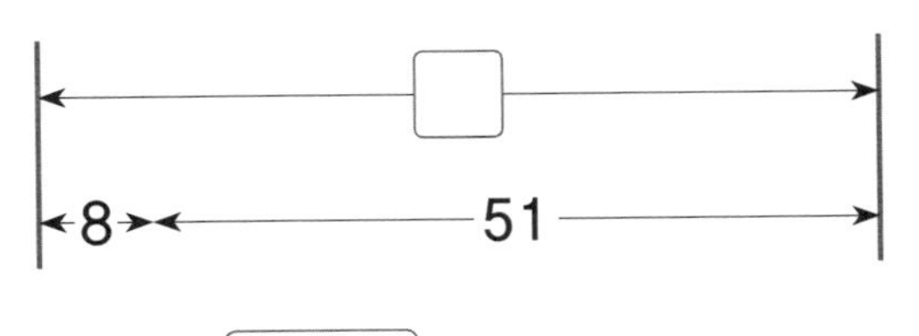

$\square - 8 = 51$

$74+\square=79$

$\square-2=42$

$53+\square=56$

$27-\square=25$

$\square+3=65$

$85-\square=81$

$93+\square=97$

$\square-2=34$

$45+\square=48$

$57-\square=55$

$\square+2=74$

$28-\square=26$

$$\begin{array}{r} 3\ 2 \\ +\quad \square \\ \hline 3\ 7 \end{array}$$

$$\begin{array}{r} 6\ 7 \\ -\quad \square \\ \hline 6\ 1 \end{array}$$

$$\begin{array}{r} 5\ 3 \\ +\quad \square \\ \hline 5\ 8 \end{array}$$

$$\begin{array}{r} \square \\ -\quad 2 \\ \hline 2\ 7 \end{array}$$

$$\begin{array}{r} \square \\ +\quad 3 \\ \hline 4\ 9 \end{array}$$

$$\begin{array}{r} \square \\ -\quad 3 \\ \hline 8\ 1 \end{array}$$

1 다음 모양이 나타내는 수를 구하세요.

22 + ◆ = 28

◆ = [6]

48 − ♥ = 44

♥ = [ ]

♠ − 7 = 52

♠ = [ ]

♣ + 3 = 63

♣ = [ ]

2 같은 모양은 같은 수를 나타냅니다. □ 안에 알맞은 수를 쓰세요.

76 + ■ = 78

34 − ■ = [32]

2

27 − ● = 24

● + 44 = [ ]

⬟ − 4 = 42

3 + ⬟ = [ ]

▲ + 5 = 58

▲ − 2 = [ ]

64 + ★ = 69

97 − ★ = [ ]

39 − ⬢ = 33

⬢ + 72 = [ ]

3 계산 결과에 맞게 주머니 속의 수를 한 번씩 □ 안에 쓰세요.

4 다음과 같이 어떤 수를 구하고 물음에 답하세요.

어떤 수에 3을 더했더니 39입니다. 어떤 수에서 5를 빼면 얼마일까요?

어떤 수 구하기: 식 □+3=39 □= 36

물음에 답하기: 식 36−5=31 답 31

62와 어떤 수의 합은 68입니다. 87에서 어떤 수를 빼면 얼마일까요?

어떤 수 구하기: 식 ______ □= ______

물음에 답하기: 식 ______ 답 ______

99에서 어떤 수를 뺐더니 95입니다. 32에 어떤 수를 더하면 얼마일까요?

어떤 수 구하기: 식 ______ □= ______

물음에 답하기: 식 ______ 답 ______

3일

107 합과 차

두 수의 합과 차를 구해 봅시다.

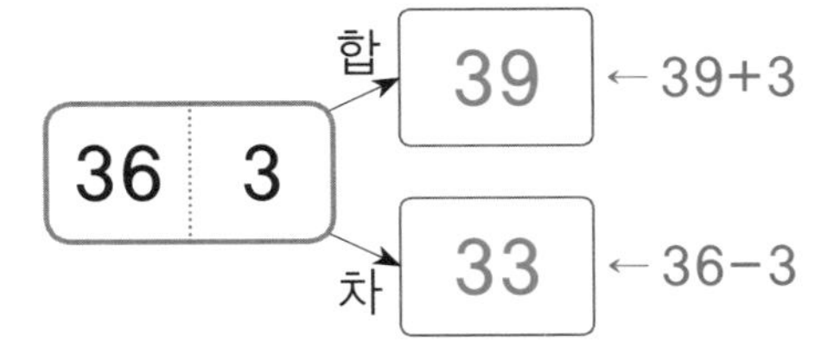

36과 3의 합은 36+3=39이고
36과 3의 차는 36−3=33입니다.
차는 큰 수에서 작은 수를 뺍니다.

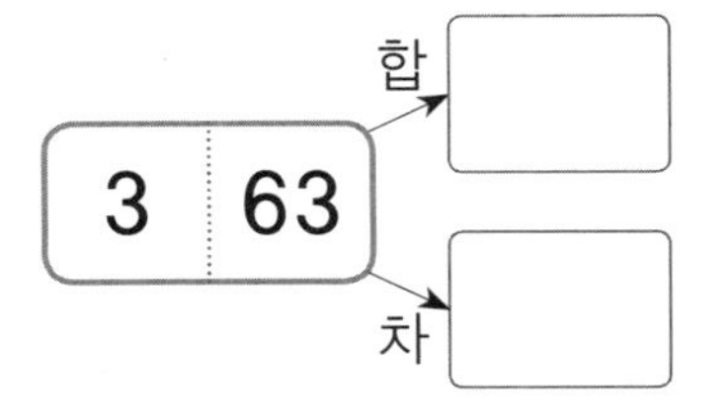

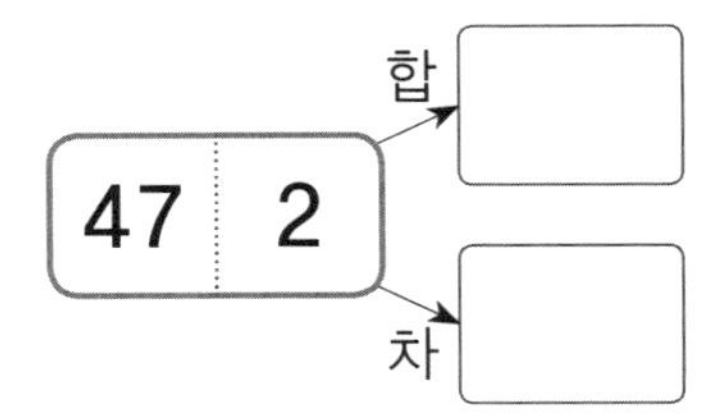

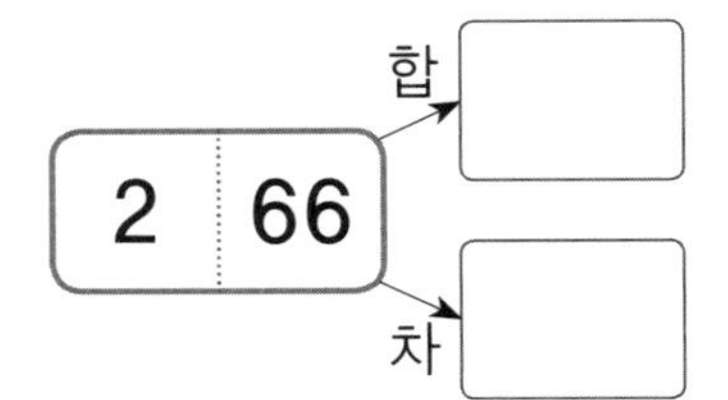

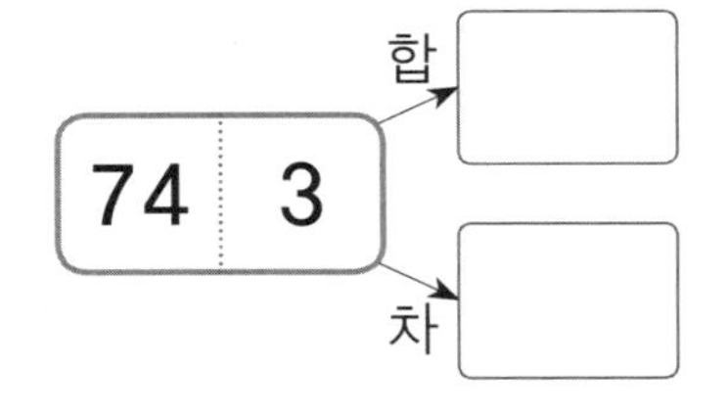

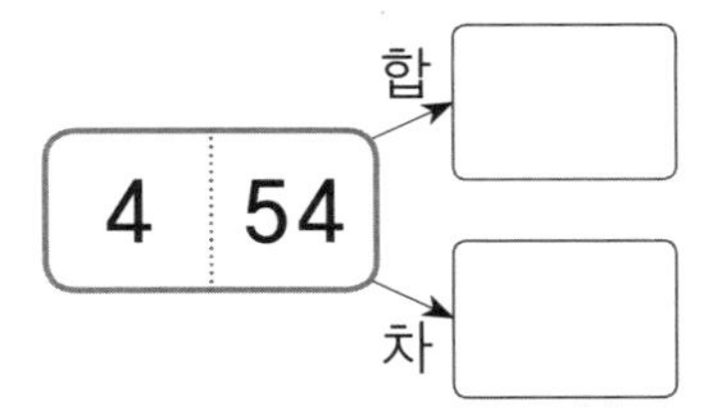

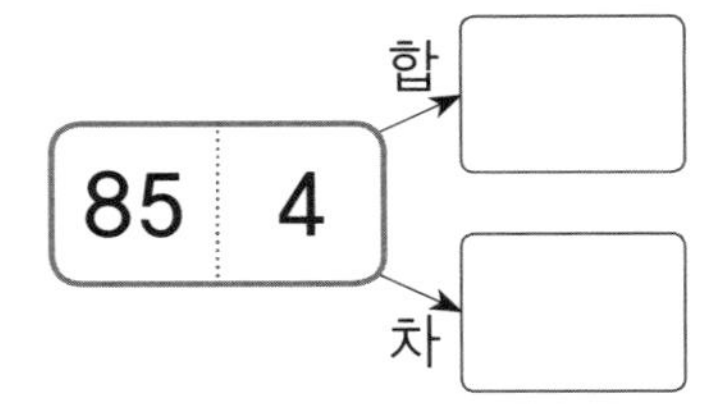

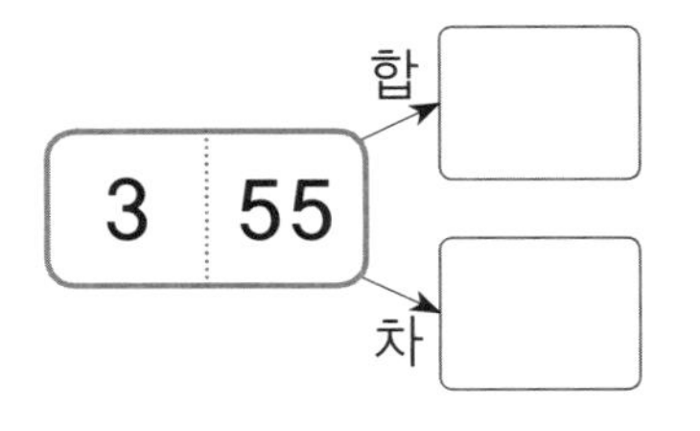

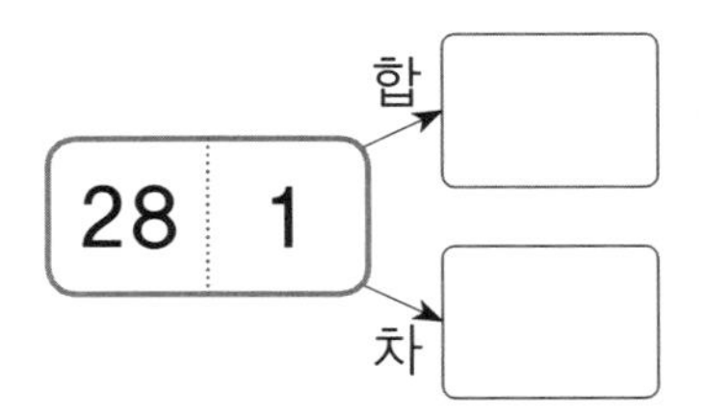

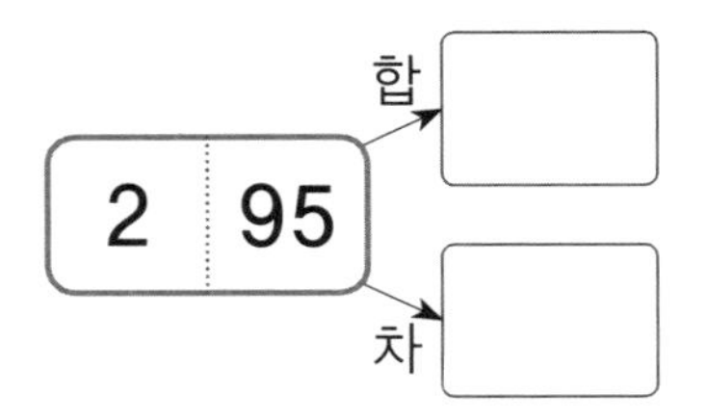

$\bigcirc$ 안에는 $>$, $=$, $<$를,
$\square$ 안에는 수를 쓰세요.

$67-3 \; \textcircled{<} \; 63+3$

$34+2 \; \bigcirc \; 36-4$

$76-2 \; \bigcirc \; 72+2$

$24+5 \; \bigcirc \; 24-3$

$43+2 \; \bigcirc \; 49-2$

$38-3 \; \bigcirc \; 31+4$

$33+3=\boxed{38}-2$

$\square+2=59-3$

$26+2=\square-1$

$\square+1=77-3$

$63+4=69-\square$

$42+\square=48-4$

$31+5=38-\square$

$83+\square=89-2$

1 왼쪽은 두 수의 합, 오른쪽은 두 수의 차입니다. 두 수를 모두 찾아 ◯표 하세요.

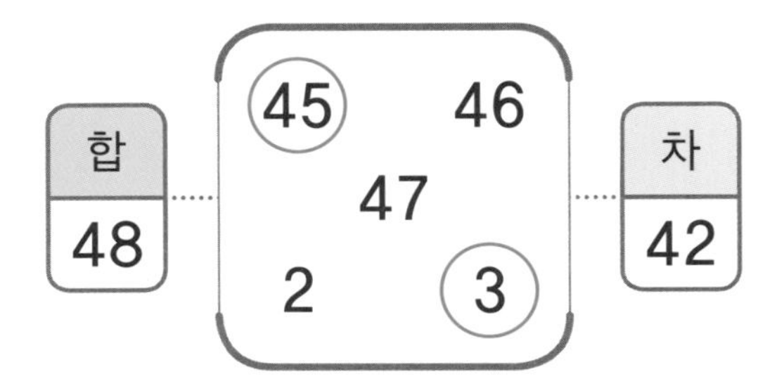

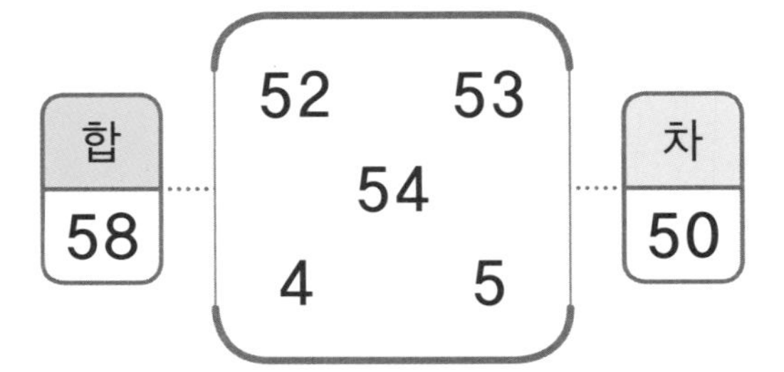

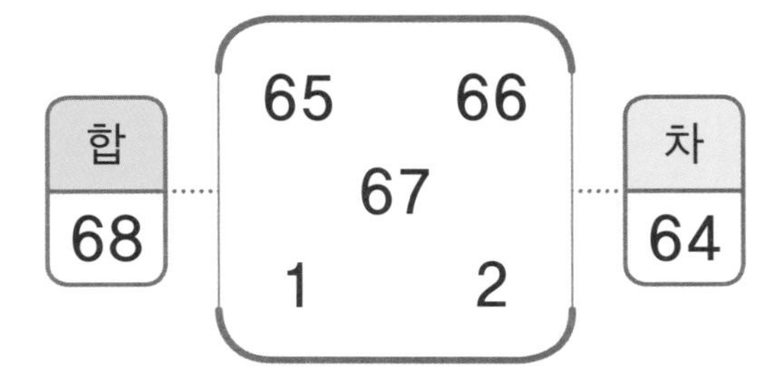

합 37

34 35
36
3 4

차 31

2 같은 모양 안에는 같은 수가 들어갑니다. 덧셈식과 뺄셈식에 맞게 수 카드의 수를 골라 쓰세요.

33 **36** **39**
3 **5**

□36 + ◯ = 39
□36 − ◯ = 33

74 **75** **76**
2 **4**

□ + ◯ = 78
□ − ◯ = 70

3 같은 모양에는 같은 수가 들어갑니다. 빈칸에 알맞은 수를 쓰세요.

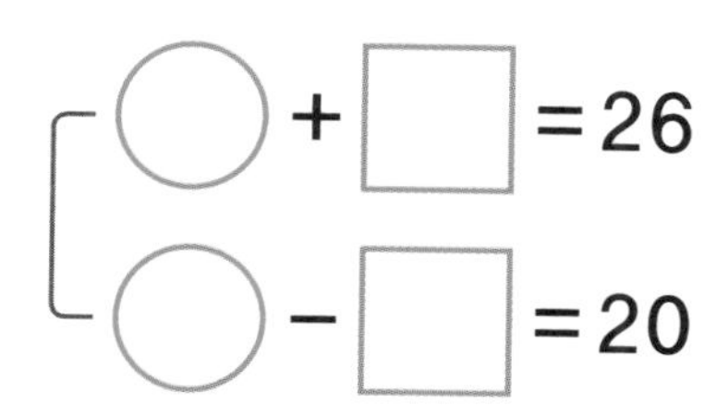

△ + ⬠ = 48
△ − ⬠ = 42

4 상자 안에 사과와 귤이 27개 들어 있습니다. 사과가 귤보다 21개 많습니다. 사과의 귤의 개수를 알아봅시다.

사과의 귤 개수의 합과 차는 각각 얼마일까요?

합과 차에 맞게 두 수를 구해 보세요.

두 수: ☐, ☐

사과와 귤은 각각 몇 개일까요?

사과: ☐개, 귤: ☐개

5 농장에 닭과 돼지를 합하여 39마리가 있습니다. 닭이 돼지보다 33마리 많습니다. 닭은 몇 마리일까요?

108 숫자 카드 덧셈과 뺄셈

개념원리

숫자 카드를 한 번씩 사용하여 계산 결과에 맞게 덧셈식 또는 뺄셈식을 만들어 봅시다.

36 + 2 = 38 　　 63 − 2 = 61

63 + 2 = 65 　　 26 − 3 = 23

숫자 카드 2장으로 두 자리 수를 만들고, 나머지 1장으로 한 자리 수를 만듭니다.

3　1　5

□□ + □ = 36 　　 □□ − □ = 12

□□ + □ = 54 　　 □□ − □ = 34

2　7　3

□□ + □ = 75 　　 □□ − □ = 35

□□ + □ = 39 　　 □□ − □ = 71

4 1 + 5 = 46

1 4 + 5 = 19

계산 결과에 맞게 숫자 카드를
한 번씩 써서 식을 완성하세요.

3 2 6

□□ + □ = 38

□□ + □ = 29

□□ + □ = 65

3 4 7

□□ − □ = 33

□□ − □ = 71

□□ − □ = 44

2 1 6

□□ + □ = 63

□□ + □ = 27

□□ + □ = 18

8 2 4

□□ − □ = 82

□□ − □ = 24

□□ − □ = 46

1 식에 맞게 꿀벌이 지나가는 길을 그리고, 덧셈식 또는 뺄셈식을 쓰세요.

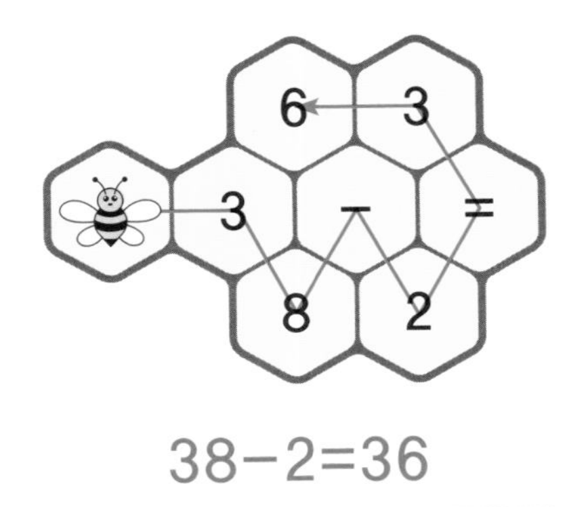

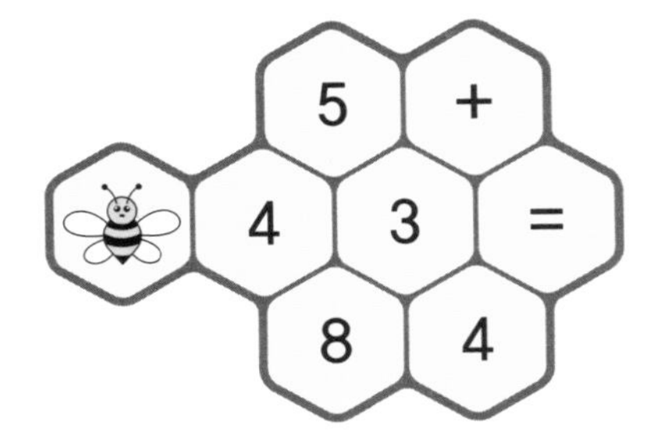

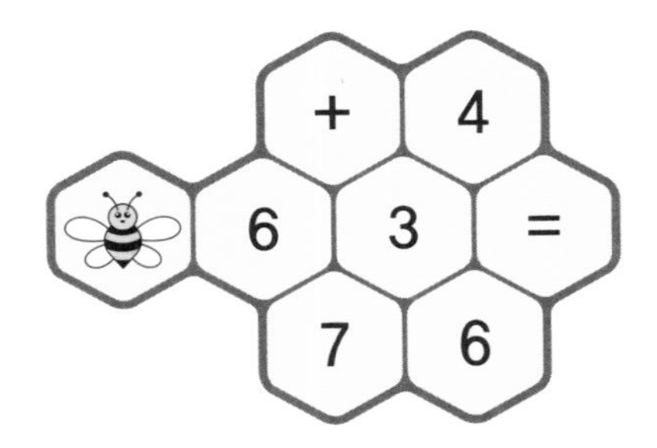

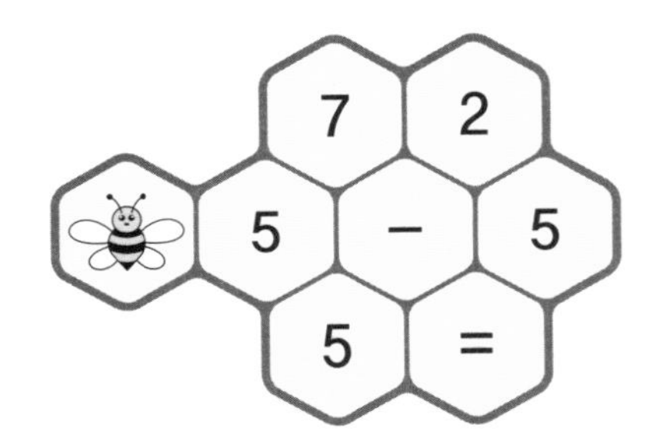

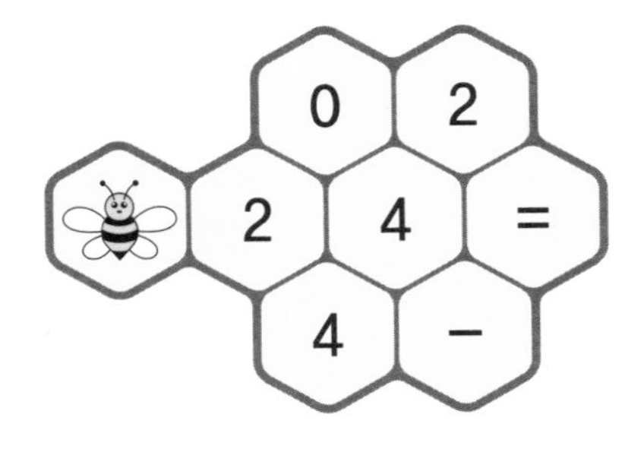

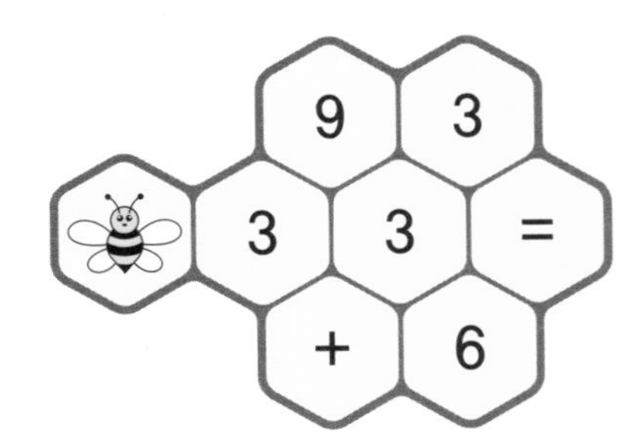

2 색칠해진 버튼을 한 번씩만 눌렀습니다. 계산 결과가 나오도록 식을 쓰세요.

____

3 5, 7, 2 세 장의 숫자 카드를 한 번씩만 사용하여 만든 두 자리 수와 한 자리 수의 합이 가장 클 때의 식과 답을 구하세요.

식 □□ + □ = □ 답 □

4 8, 1, 6 세 장의 숫자 카드를 한 번씩만 사용하여 만든 두 자리 수와 한 자리 수의 차가 가장 클 때의 식과 답을 구하세요.

식 ______________ 답 ________

5일

형성평가

1 계산을 한 다음 알맞게 선으로 이으세요.

45 − 1	48 − 2	54 − 2

51 + 1	42 + 2	41 + 5

2 초콜릿이 46개, 사탕이 3개 있습니다. 물음에 맞게 식과 답을 구하세요.

초콜릿과 사탕은 모두 몇 개일까요?

 ____________________ 답 ________ 개

초콜릿은 사탕보다 몇 개 더 많을까요?

식 ____________________ 답 ________ 개

3 같은 모양은 같은 수를 나타냅니다. □ 안에 알맞은 수를 쓰세요.

45 − ◆ = 41

72 + ◆ = □

♥ + 6 = 69

♥ − 3 = □

4 어떤 수에 3을 더했더니 39입니다. 어떤 수에서 5를 빼면 얼마일까요?

5 왼쪽은 두 수의 합, 오른쪽은 두 수의 차입니다. 두 수를 찾아 모두 ○표 하세요.

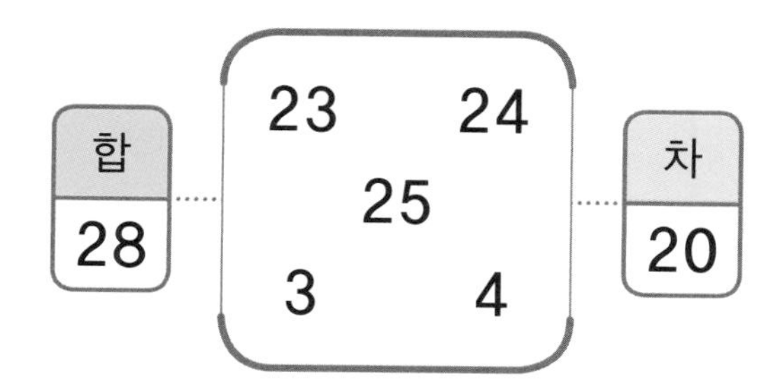

6 상자 안에 야구공과 축구공이 모두 48개 들어 있습니다. 야구공이 축구공보다 42개 더 많습니다. 야구공과 축구공의 개수를 알아봅시다.

야구공과 축구공 개수의 합과 차는 각각 얼마일까요?

합: ☐, 차: ☐

합과 차에 맞게 두 수를 구해 보세요.

두 수: ☐, ☐

야구공과 축구공은 각각 몇 개일까요?

야구공: ☐개, 축구공: ☐개

7 계산 결과에 맞게 숫자 카드의 수를 한 번씩 사용하여 뺄셈식을 만드세요.

______________ =52

______________ =21

______________ =43

8 식에 맞게 꿀벌이 지나가는 길을 그리고, 덧셈식을 쓰세요.

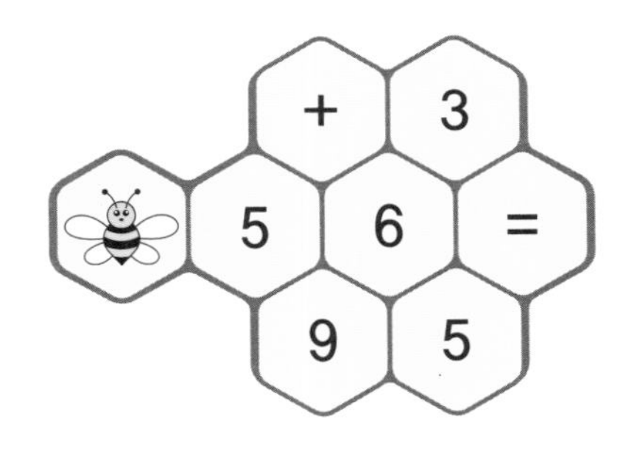

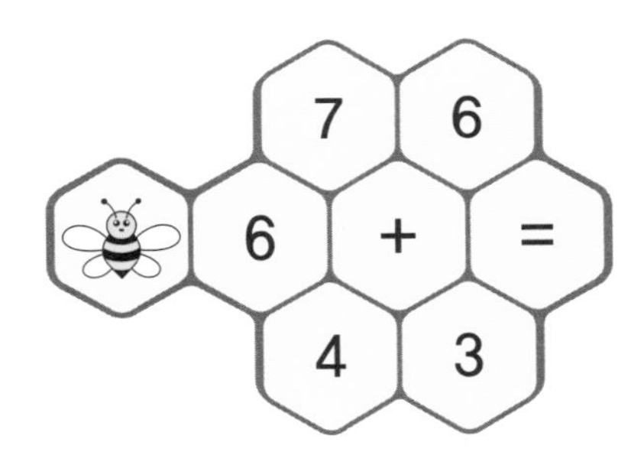

______________ ______________

9 5, 3, 8 세 장의 숫자 카드를 한 번씩만 사용하여 만든 두 자리 수와 한 자리 수의 차가 가장 클 때의 식과 답을 구하세요.

식 ______________ 

____

4주차

세 수의 계산

덧셈과 뺄셈이 혼합된 세 수의 계산

109 더하고 더하기

세 수의 덧셈을 해 봅시다.

$32+3+1=\boxed{35}+1=\boxed{36}$

$32+3+1=32+\boxed{4}=\boxed{36}$

$32+3+1=\boxed{33}+3=\boxed{36}$

세 수의 덧셈에서는 순서에 상관없이 두 수를 더하고 남은 한 수를 더합니다.

$53+4+2=\square+2$
$=\square$

$31+5+3=31+\square$
$=\square$

$42+4+2=\square+4$
$=\square$

$63+3+2=\square+2$
$=\square$

$85+1+2=\square+2$
$=\square$

$74+3+2=\square+3$
$=\square$

$45+3+1=\square+1$

$=\square$

$53+2+3=\square+3$

$=\square$

$91+4+2=91+\square$

$=\square$

$22+4+3=22+\square$

$=\square$

$71+5+1=\square+5$

$=\square$

$63+4+2=\square+4$

$=\square$

$62+2+3=\square$

$54+1+3=\square$

$72+1+5=\square$

$81+7+1=\square$

$1+12+3=\square$

$1+91+4=\square$

1 연결된 세 수의 합이 ☆ 안의 수가 되도록 삼각형을 그리세요.

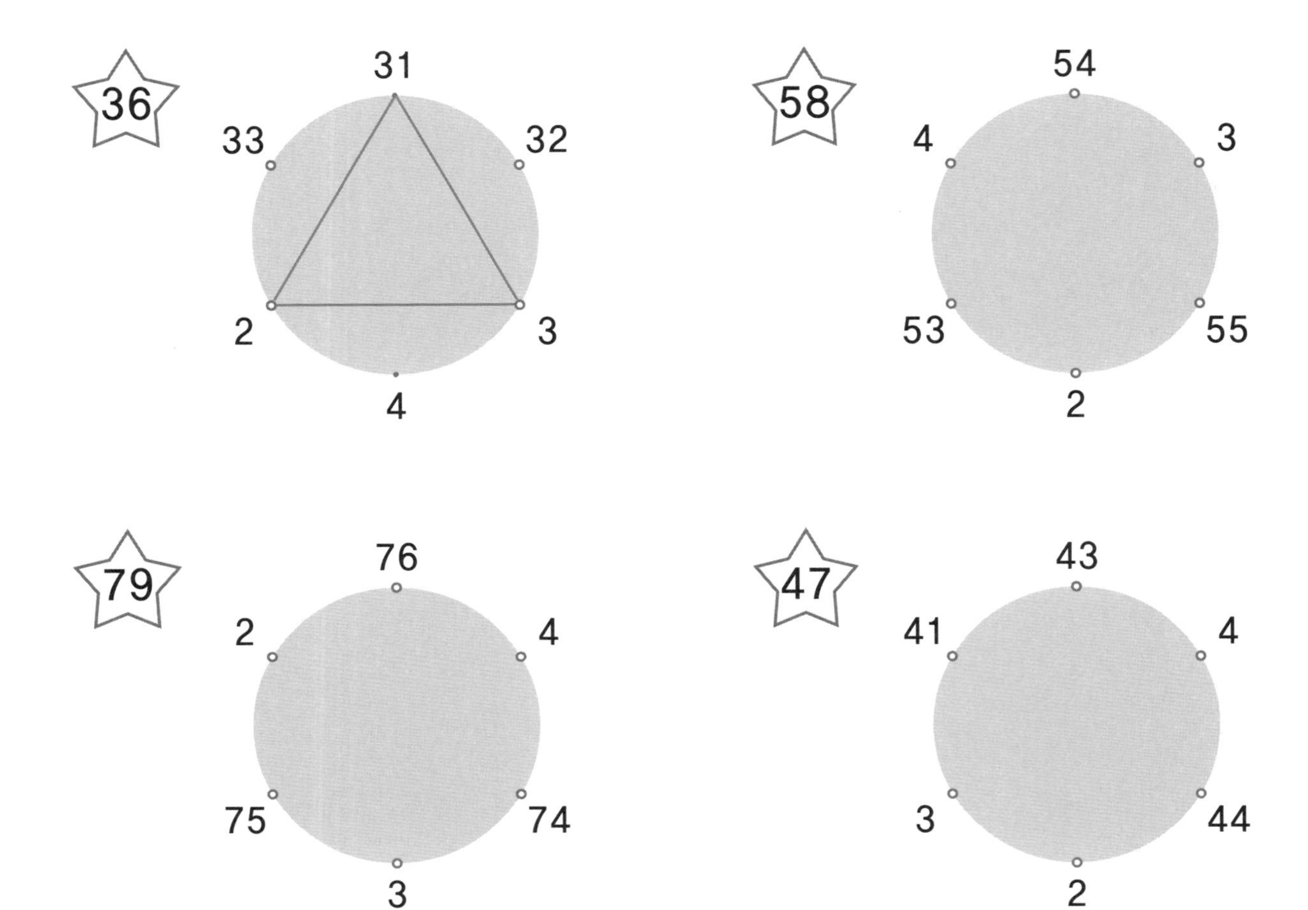

2 수 카드에서 합이 ◯ 안의 수가 되는 세 수를 찾아 ◯표 하세요.

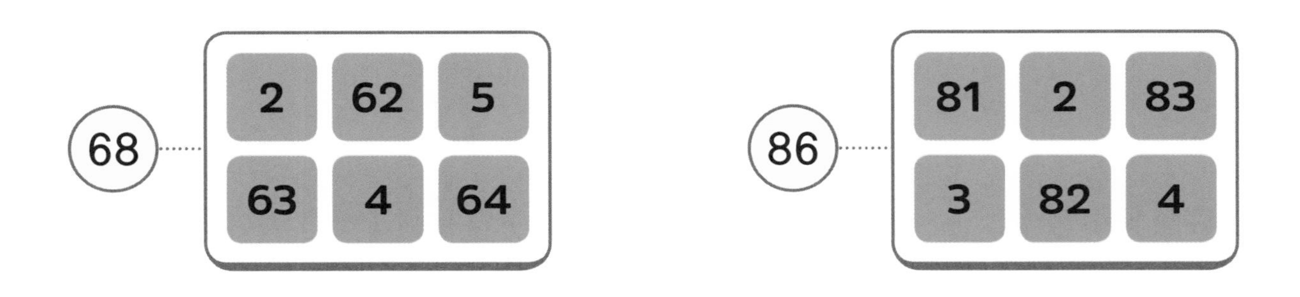

3 다음과 같이 세 수의 합에 맞게 하나의 수를 지우고 바른 식을 쓰세요.

~~2~~ 4 + 5 3 + 2 = 59	➡	4+53+2=59

7 1 + 4 2 + 3 = 78 ➡ ____________

3 2 + 6 1 + 4 = 67 ➡ ____________

4 3 + 5 2 + 1 = 46 ➡ ____________

4 책꽂이에 동화책이 21권, 위인전이 3권, 만화책이 4권 있습니다. 책꽂이에 있는 책은 모두 몇 권일까요?

식 ☐ + ☐ + ☐ = ☐ 　답 ________ 권

5 동물원에 사자 6마리와 하마 2마리가 있습니다. 이 동물원에 펭귄 41마리가 더 왔습니다. 동물원에 있는 동물은 모두 몇 마리일까요?

식 ____________ 　답 ________ 마리

빼고 빼기

두 가지 방법으로 세 수의 뺄셈을 해 봅시다.

$38 - 3 - 2 = \boxed{35} - 2 = \boxed{33}$

앞의 두 수를 계산한 다음 나머지 수를 계산합니다.

$47 - 2 - 4 = 47 - \boxed{6} = \boxed{41}$

빼고 뺄 때는 모아서 뺄 수 있습니다.

$69 - 5 - 3 = \square - 3$

$= \square$

$56 - 1 - 2 = \square - 2$

$= \square$

$88 - 1 - 4 = 88 - \square$

$= \square$

$75 - 2 - 2 = 75 - \square$

$= \square$

$78 - 5 - 1 = \square - 1$

$= \square$

$68 - 6 - 1 = 68 - \square$

$= \square$

$97 - 2 - 3 = \square - 3$

$= \square$

$49 - 2 - 4 = 49 - \square$

$= \square$

$88 - 4 - 2 = \square - 2$

$= \square$

$57 - 3 - 2 = 57 - \square$

$= \square$

$37 - 2 - 3 = \square$

$68 - 7 - 1 = \square$

$55 - 1 - 2 = \square$

$46 - 2 - 2 = \square$

$79 - 3 - 2 = \square$

$28 - 1 - 4 = \square$

1 계산 결과에 맞게 길을 그리세요.

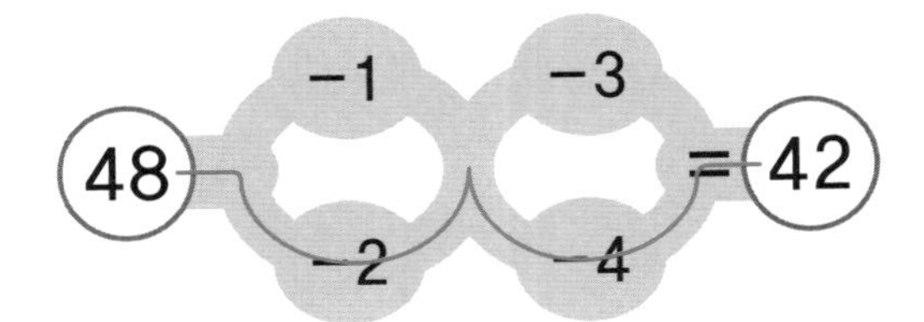

56 (−2, −1) (−3, −4) = 50

77 (−3, −4) (−2, −1) = 71

39 (−3, −1) (−4, −2) = 32

65 (−3, −2) (−4, −1) = 62

28 (−2, −1) (−4, −2) = 23

59 (−5, −4) (−2, −3) = 53

76 (−2, −4) (−5, −3) = 71

47 (−2, −1) (−4, −3) = 43

94 (−1, −4) (−3, −2) = 91

2 다음 수직선의 빈칸에 알맞은 수를 쓰고, □ 안에 알맞은 수를 쓰세요.

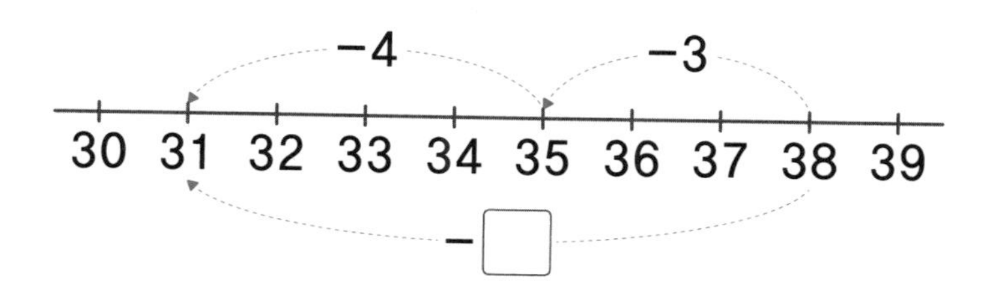

$38-3-4=38-\square$

$=\square$

3 어떤 수에서 5를 빼고 3을 빼는 것은 어떤 수에서 얼마를 빼는 것과 같을까요? □

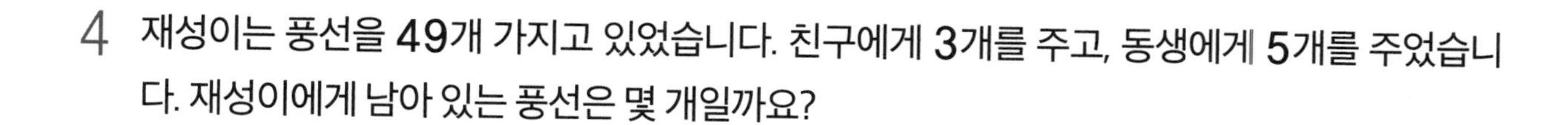

4 재성이는 풍선을 49개 가지고 있었습니다. 친구에게 3개를 주고, 동생에게 5개를 주었습니다. 재성이에게 남아 있는 풍선은 몇 개일까요?

 식 ______________

 답 ______ 개

5 딸기가 29개 있습니다. 소희와 준희가 딸기를 4개씩 먹었습니다. 남은 딸기는 몇 개일까요?

식 ______________

 답 ______ 개

3일 111

세 수의 계산

개념원리

두 가지 방법으로 세 수의 계산을 해 봅시다.

$54-2+5=\boxed{52}+5$

$=\boxed{57}$

54와 2의 차를 구한 다음 그 계산 결과에 5를 더합니다.

$54-2+5=54+\boxed{3}$

$=\boxed{57}$

2를 빼고 5를 더하는 것은 3을 더한 것과 같습니다.

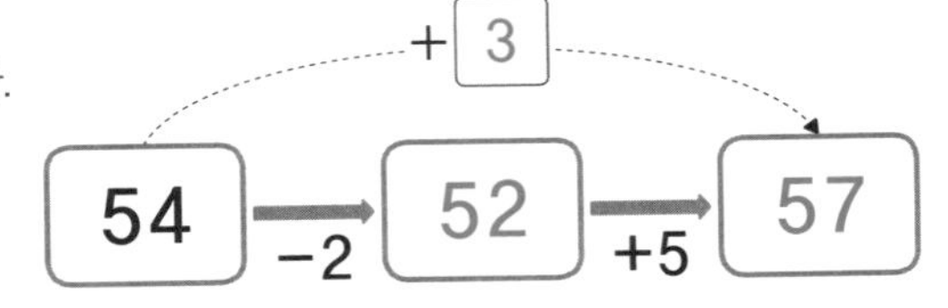

$48-3-2=\square-2$

$=\square$

$48-3-2=48-\square$

$=\square$

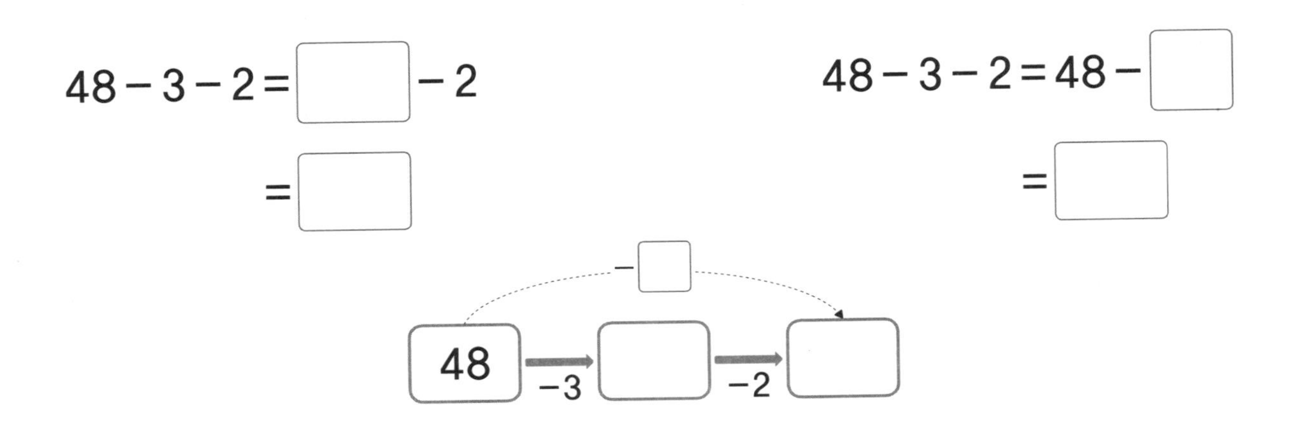

$82+7-5=\square-5$

$=\square$

$82+7-5=82+\square$

$=\square$

+

82 → +7 → □ → −5 → □

$25+4-6=\square-6$

$=\square$

$56-3+5=56+\square$

$=\square$

$32+4+1=\square+1$

$=\square$

$79-5-2=79-\square$

$=\square$

$47+2-6=\square-6$

$=\square$

$68-7+4=68-\square$

$=\square$

$89-3-5=\square$

$36+2+1=\square$

$58-4+2=\square$

$92+6-4=\square$

$42+3+2=\square$

$64-1-2=\square$

1 다음과 같이 두 가지 방법으로 계산을 하세요.

$25+4-6=$ 29−6 $=$ 23	$25+4-6=$ 25−2 $=$ 23

$56-3+5=$ ______
$=$ ______

$56-3+5=$ ______
$=$ ______

$32+4+1=$ ______
$=$ ______

$32+4+1=$ ______
$=$ ______

2 ◯ 안에 + 또는 −를 채우세요.

65 (+) 4 (−) 7 = 62

26 ◯ 2 ◯ 1 = 29

44 ◯ 2 ◯ 3 = 45

73 ◯ 5 ◯ 2 = 76

58 ◯ 1 ◯ 6 = 51

36 ◯ 3 ◯ 5 = 38

3 ◯ 안에 + 또는 −를 쓰고, 식과 답을 완성하세요.

> 형철이는 구슬을 39개 가지고 있습니다.
> 민호에게 5개를 주고, 기수에게 2개를 주었습니다.
> 형철이에게 남은 구슬은 몇 개일까요?

식 39 ◯ 5 ◯ 2 = ☐　　답 ☐ 개

4 버스에 46명이 타고 있습니다. 이번 정류장에서 3명이 타고 7명이 내렸습니다. 버스에는 몇 명이 타고 있을까요?

식 ________________　　답 ________ 명

5 미술관에 어른 22명, 어린이 7명이 입장하였습니다. 그중에서 여자가 8명이라면 남자는 몇 명일까요?

식 ________________　　답 ________ 명

112 거꾸로 계산하기

거꾸로 계산하여 봅시다.

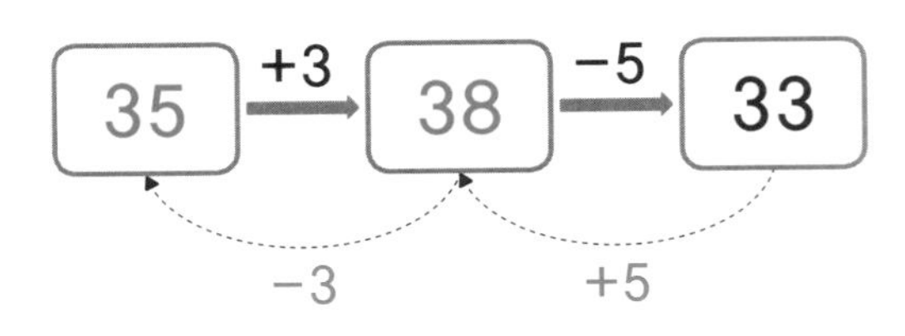

거꾸로 계산할 때에는
+는 −로, −는 +로 계산합니다.

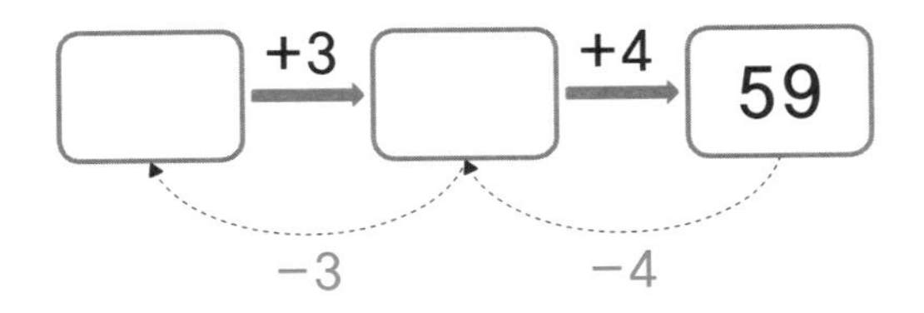

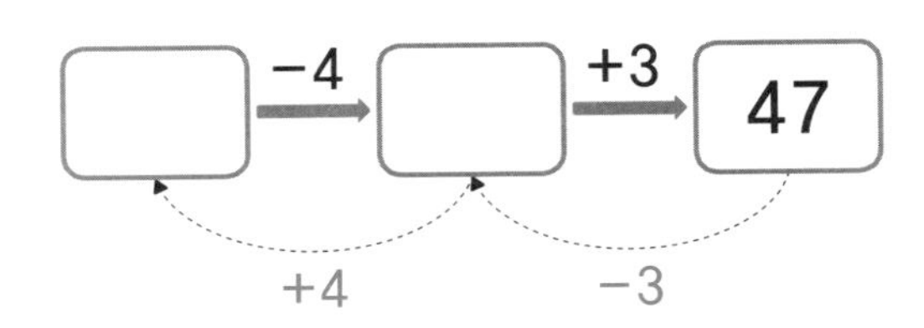

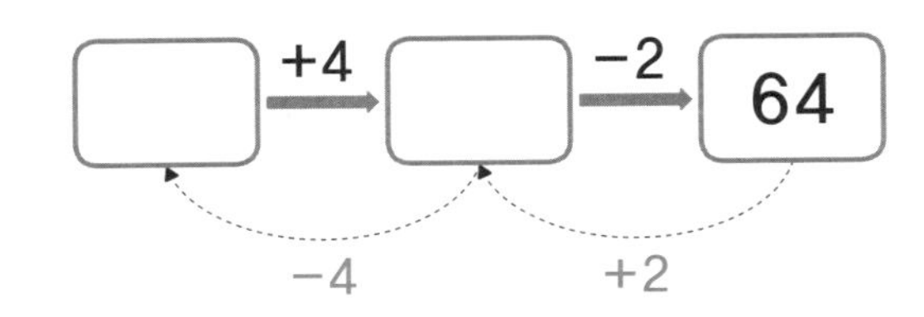

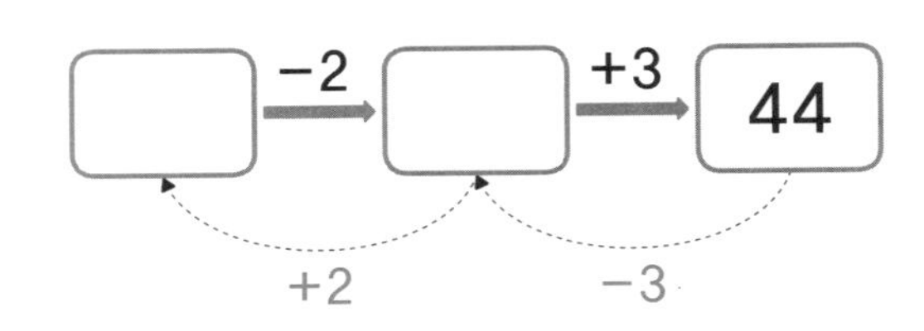

□ −1 → □ −5 → 32

□ +3 → □ −7 → 71

□ +3 → □ +4 → 59

□ −5 → □ +2 → 85

$\square + 3 + 1 = 58$

$\square + 5 - 3 = 74$

$\square - 7 + 5 = 36$

$\square - 2 - 5 = 41$

$\square + 2 - 1 = 64$

$\square + 4 - 1 = 37$

$\square - 1 + 3 = 88$

$\square - 3 + 2 = 25$

$\square + 4 + 2 = 29$

$\square + 4 - 3 = 93$

$\square - 4 + 1 = 92$

$\square - 3 + 1 = 76$

$\square + 3 - 2 = 17$

$\square - 1 - 2 = 84$

$\square - 6 + 2 = 45$

$\square + 3 - 6 = 51$

1 사다리를 타고 내려가는 길의 계산에 맞게 빈칸에 알맞은 수를 쓰세요.

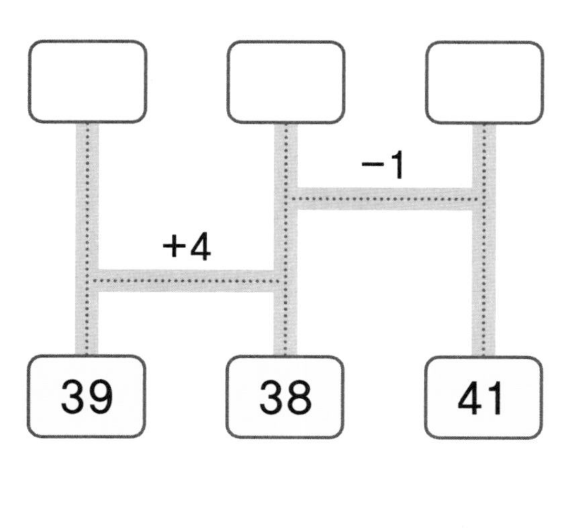

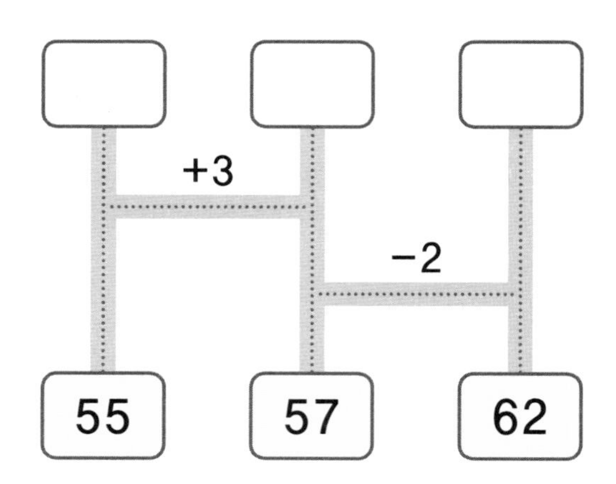

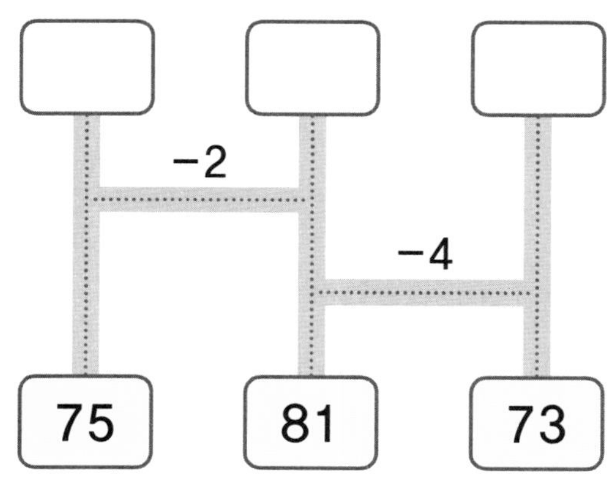

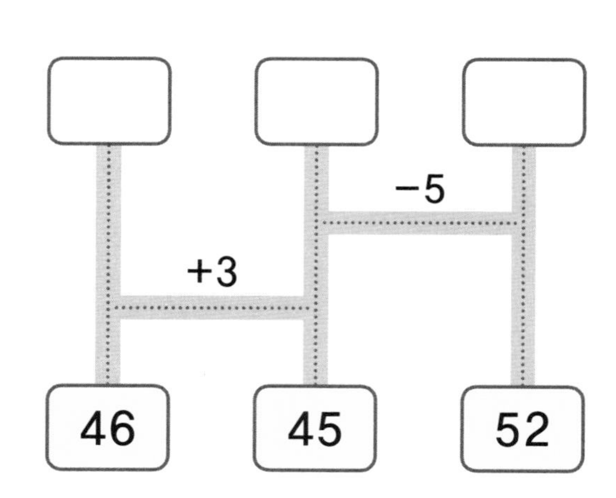

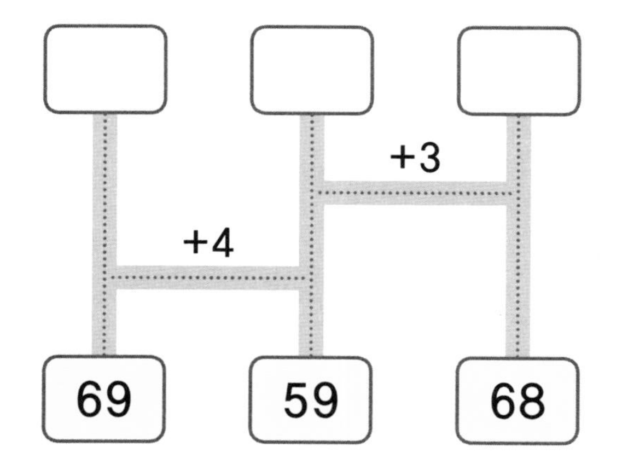

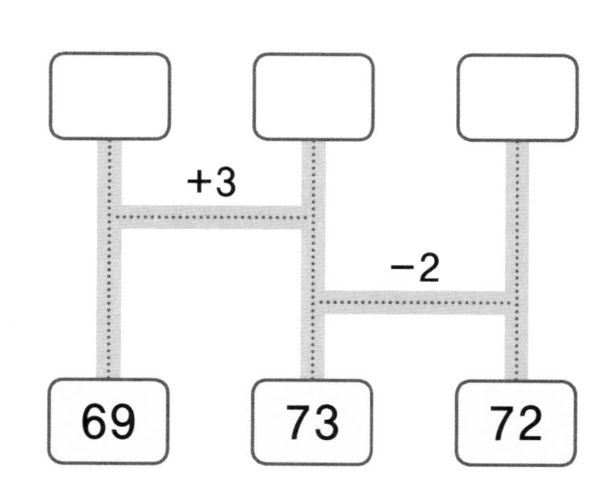

2 수직선에서 어떤 수를 찾아 ◯표 하세요.

어떤 수에서 왼쪽으로 3칸 가고, 오른쪽으로 5칸 가면 28입니다.

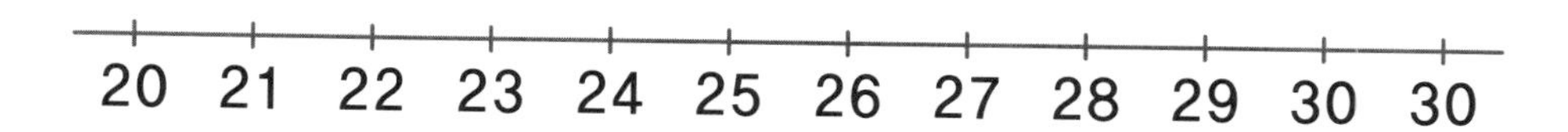

어떤 수에서 오른쪽으로 4칸 가고, 오른쪽으로 2칸 가면 48입니다.

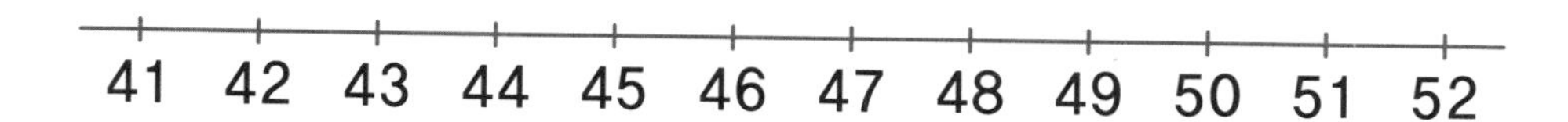

3 □를 사용한 식을 세우고 답을 구해 보세요.

공원 주차장에 있던 차 중에서 7대가 나가고 3대가 더 들어와서 85대의 차가 남았습니다. 처음 공원 주차장에 있던 차는 몇 대일까요?

식 ______________________ 답 __________ 대

호민이가 가지고 있는 사탕 중에서 동생에게 5개, 언니에게 2개를 주었더니 22개가 남았습니다. 호민이가 처음에 가지고 있던 사탕은 몇 개일까요?

식 ______________________ 답 __________ 개

형성평가

1 연결된 세 수의 합이 ☆ 안의 수가 되도록 삼각형을 그리세요.

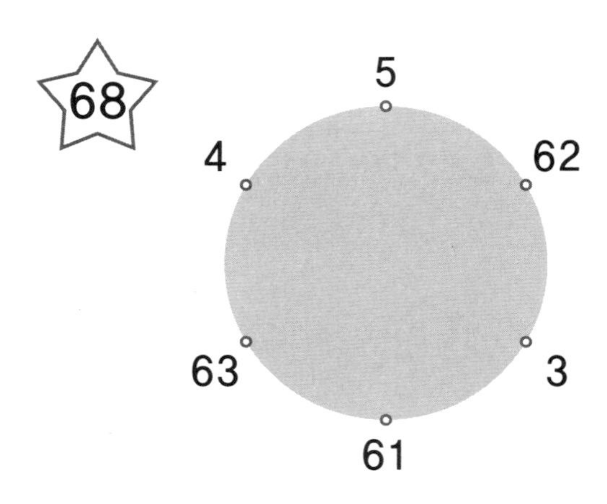

2 진열장에 도넛 32개, 머핀 2개, 바게트 4개가 있습니다. 진열장에 있는 빵은 모두 몇 개일까요?

식 ______________ 답 ______ 개

3 계산 결과에 맞게 길을 그리세요.

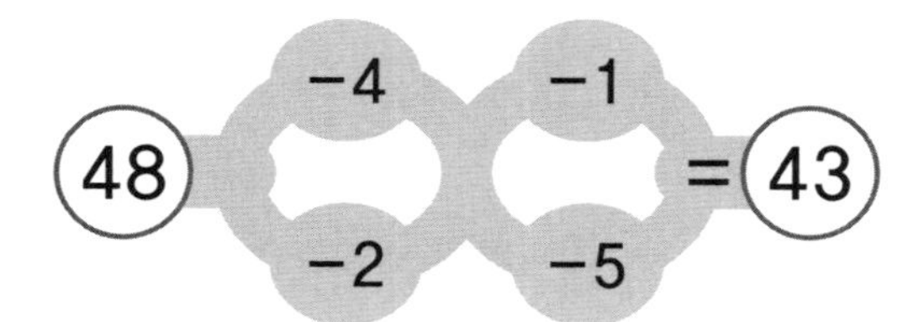

35 −2 −1 −2 −3 = 30

4 준영이는 스티커를 59장 가지고 있습니다. 은영이와 수진이에게 각각 3장씩 나누어 주었습니다. 남은 스티커는 몇 장일까요?

 ______________________ 답 __________ 장

5 두 가지 방법으로 계산을 하세요.

$97-6+2=$ __________

$=$ __________

$97-6+2=$ __________

$=$ __________

6 ○안에 + 또는 −를 채우세요.

65 ○ 4 ○ 7 = 62

58 ○ 2 ○ 4 = 52

42 ○ 2 ○ 3 = 47

37 ○ 2 ○ 6 = 33

7 마라톤 대회에 남자가 45명, 여자가 4명 참가하였습니다. 그중에서 모자를 쓰지 않은 사람이 6명이라면 모자를 쓴 사람은 몇 명일까요?

8 사다리를 타고 내려가는 길의 계산에 맞게 빈칸에 알맞은 수를 쓰세요.

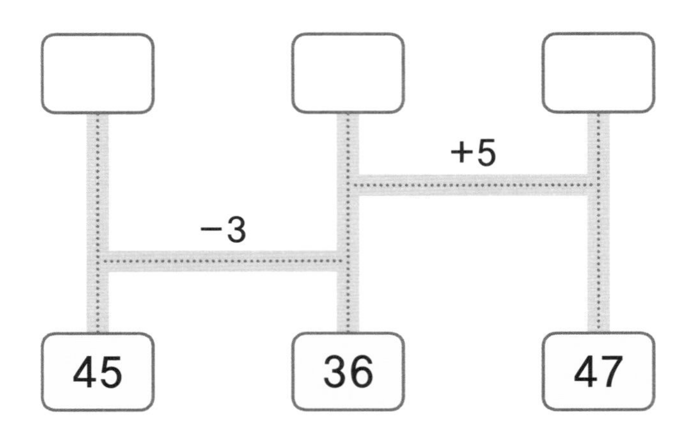

9 □를 사용한 식을 세우고 답을 구하세요.

현정이가 머핀을 구웠습니다. 친구에게 4개 주고, 동생에게 3개 주었더니 42개가 남았습니다. 현정이가 처음에 구운 머핀은 몇 개일까요?

식 ______________________ 답 __________ 개

상위권으로 가는 문제 해결 연산 학습지

P3
7~8세

받아올림, 받아내림 없는
두 자리 수와 한 자리 수의 덧셈과 뺄셈

P3 받아올림, 받아내림 없는 두 자리 수와 한 자리 수의 덧셈과 뺄셈

7~8 세

정답 및 길잡이

덧셈하기

6·7쪽

1일 097 몇십몇+몇

개념원리

덧셈을 해 봅시다.

$34+2=$ [3] [6]

3, 4+2

십의 자리 숫자는 그대로 쓰고 일의 자리 숫자끼리 더해 일의 자리에 씁니다.

$51+3=$ [5] [4] (5, 1+3)

$74+5=$ [7] [9] (7, 4+5)

$82+4=$ [8] [6]

$43+5=$ [4] [8]

$25+2=$ [2] [7]

$85+4=$ [8] [9]

$46+3=$ [4] [9]

$52+3=$ [5] [5]

$21+2=$ 23 | $42+7=$ 49 | $33+3=$ 36

$42+5=$ 47 | $52+3=$ 55 | $78+1=$ 79

$66+3=$ 69 | $37+2=$ 39 | $61+2=$ 63

$53+5=$ 58 | $85+2=$ 87 | $24+4=$ 28

$35+2=$ 37 | $24+4=$ 28 | $53+6=$ 59

$72+6=$ 78 | $95+2=$ 97 | $62+2=$ 64

6 응용연산 P3 | 1주: 덧셈하기 7

8·9쪽

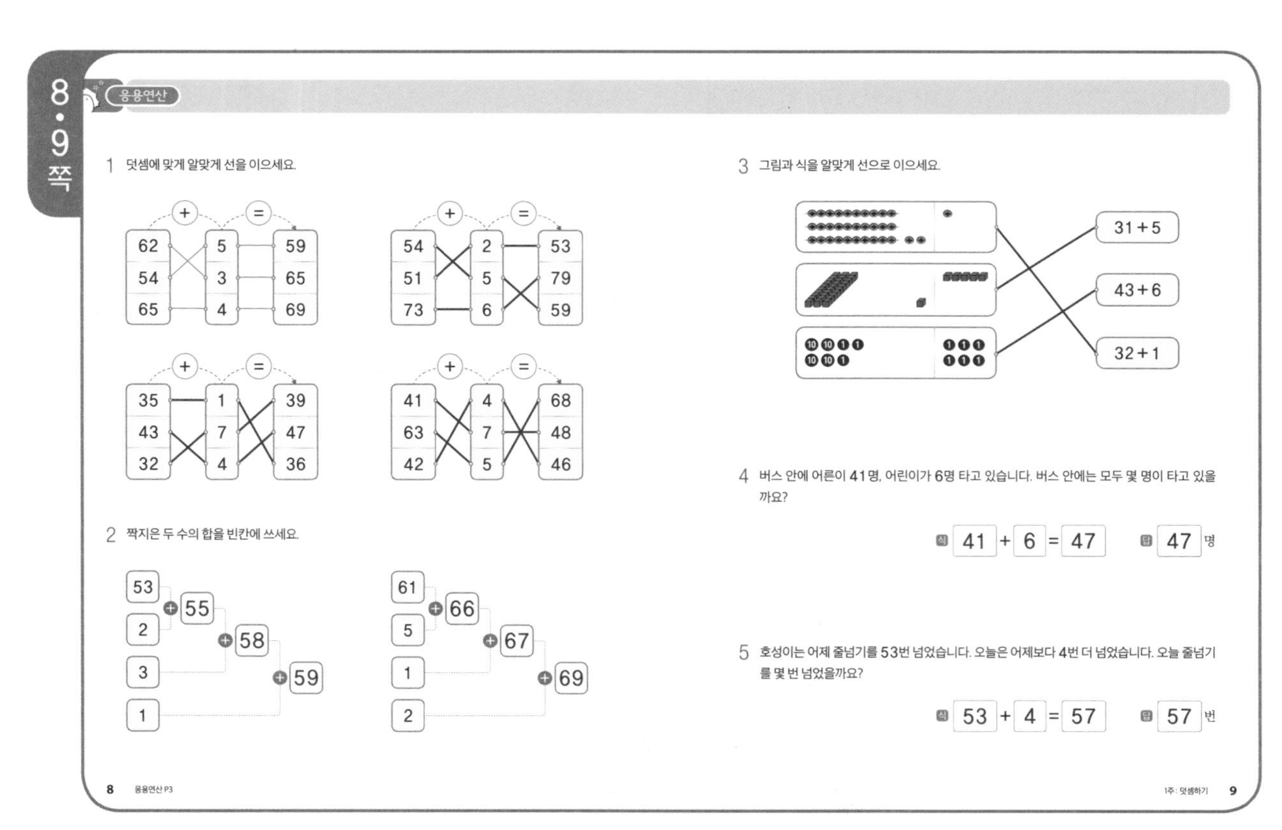
응용연산

1 덧셈에 맞게 알맞게 선을 이으세요.

2 짝지은 두 수의 합을 빈칸에 쓰세요.

53, 2 → 55; 3 → 58; 1 → 59

61, 5 → 66; 1 → 67; 2 → 69

3 그림과 식을 알맞게 선으로 이으세요.

31+5, 43+6, 32+1

4 버스 안에 어른이 41명, 어린이가 6명 타고 있습니다. 버스 안에는 모두 몇 명이 타고 있을까요?

식 $41+6=47$ 답 47명

5 호성이는 어제 줄넘기를 53번 넘었습니다. 오늘은 어제보다 4번 더 넘었습니다. 오늘 줄넘기를 몇 번 넘었을까요?

식 $53+4=57$ 답 57번

8 응용연산 P3 | 1주: 덧셈하기 9

10·11쪽

2일 098 세로셈으로 덧셈하기

개념원리: 세로 방식으로 덧셈을 해 봅시다.

$42 + 3 = 45$

십의 자리 숫자는 그대로 쓰고 일의 자리 숫자끼리 더해 일의 자리에 씁니다.

$32 + 1 = 33$, $72 + 6 = 78$, $53 + 2 = 55$

$64 + 4 = 68$, $21 + 8 = 29$, $64 + 4 = 68$

$33 + 6 = 39$, $45 + 2 = 47$, $82 + 4 = 86$

$84 + 5 = 89$, $65 + 3 = 68$, $27 + 2 = 29$

$58 + 1 = 59$, $31 + 4 = 35$, $75 + 3 = 78$

$46 + 2 = 48$, $93 + 6 = 99$, $62 + 4 = 66$

$74 + 3 = 77$, $21 + 8 = 29$, $52 + 4 = 56$

$33 + 5 = 38$, $62 + 6 = 68$, $83 + 4 = 87$

12·13쪽

응용연산

1 □ 안에 알맞은 수를 쓰세요.

$43 + 2 = 45$, $55 + 3 = 58$, $72 + 4 = 76$

2 ▭ 안의 수를 모두 사용하여 덧셈식을 완성하세요.

[5 2 6] $52 + 4 = 56$

[4 8 5] $45 + 3 = 48$

[4 2 8] $24 + 4 = 28$

[8 7 1] 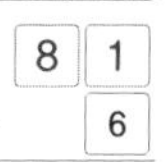 $81 + 6 = 87$

[4 3 9] $34 + 5 = 39$

[6 7 2] $62 + 5 = 67$

3 주어진 수를 모두 사용하여 덧셈식을 완성하세요.

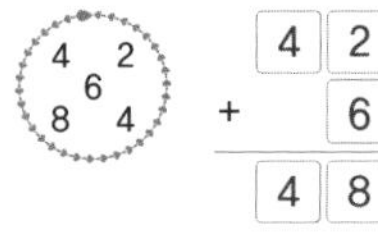

$42 + 6 = 48$ 또는 $46 + 2 = 48$

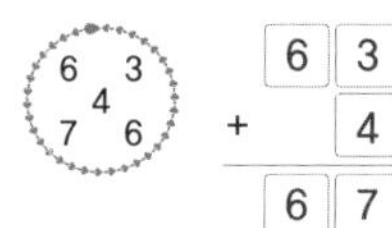

$63 + 4 = 67$ 또는 $64 + 3 = 67$

4 체육관에 축구공이 53개, 야구공이 6개 있습니다. 공은 모두 몇 개일까요?

식 $53 + 6 = 59$

답 59 개

5 동호 할머니의 연세는 61 세입니다. 동호 할아버지의 연세는 할머니보다 8살 더 많습니다. 할아버지의 연세는 몇 세일까요?

식 $61 + 8 = 69$

답 69 세

14·15쪽

3일 099 바꾸어 더하기

개념원리 두 수를 바꾸어 더해 봅시다.

21 + 3 = 24
3 + 21 = 24

두 수를 바꾸어 더해도 계산 결과는 같습니다.

42 + 6 = 48 / 6 + 42 = 48
74 + 5 = 79 / 5 + 74 = 79
51 + 7 = 58 / 7 + 51 = 58

63 + 2 = 65 / 2 + 63 = 65
36 + 3 = 39 / 3 + 36 = 39
53 + 4 = 57 / 4 + 53 = 57
84 + 2 = 86 / 2 + 84 = 86

84 + 3 = 87 / 3 + 84 = 87
43 + 5 = 48 / 5 + 43 = 48
63 + 2 = 65 / 2 + 63 = 65
36 + 3 = 39 / 3 + 36 = 39
52 + 4 = 56 / 4 + 52 = 56
23 + 4 = 27 / 4 + 23 = 27

64 + 4 = 68 / 4 + 64 = 68
41 + 6 = 47 / 6 + 41 = 47
31 + 5 = 36 / 5 + 31 = 36
72 + 2 = 74 / 2 + 72 = 74

16·17쪽

응용연산

1 안의 수가 합이 되는 두 수를 모두 찾아 ⬭ 또는 ⬯로 묶으세요.

86
2	90	1
71	3	82
5	81	4

47
3	36	5
45	2	43
1	52	4

28
3	31	4
23	2	24
2	26	3

64
61	3	62
5	62	7
63	2	51

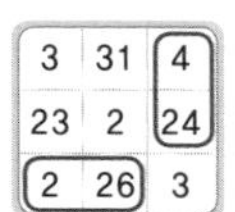

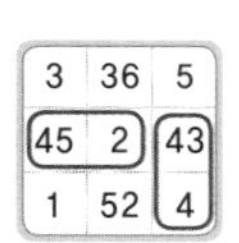

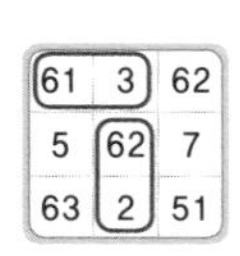

2 가로, 세로로 두 수의 합에 맞게 빈칸에 쓰세요.

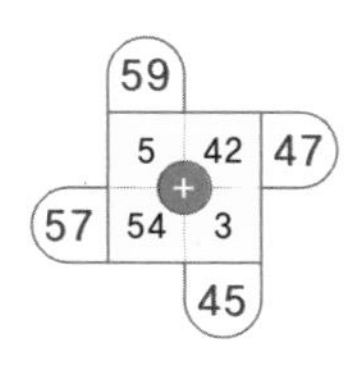
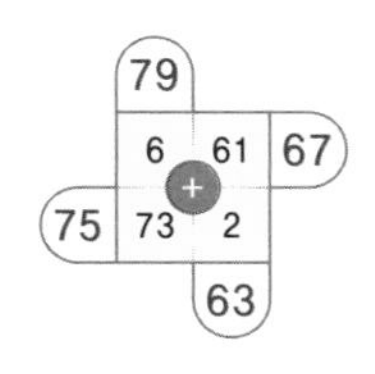

3 주어진 수와 기호를 이용하여 덧셈식 2개를 만드세요.

5 23 28 + = → 23+5=28, 5+23=28

38 7 31 + = → 31+7=38, 7+31=38

4 □ 안에 알맞은 수를 쓰고, 관계있는 것끼리 연결하세요.

코끼리가 5마리, 사슴이 23마리 있습니다.

튤립이 2송이, 장미가 42송이 있습니다.

바나나가 7개, 오렌지가 32개 있습니다.

과일은 모두 몇 개일까요?

꽃은 모두 몇 송이일까요?

동물은 모두 몇 마리일까요?

$2 + 42 = \boxed{44}$

$5 + 23 = \boxed{28}$

$7 + 32 = \boxed{39}$

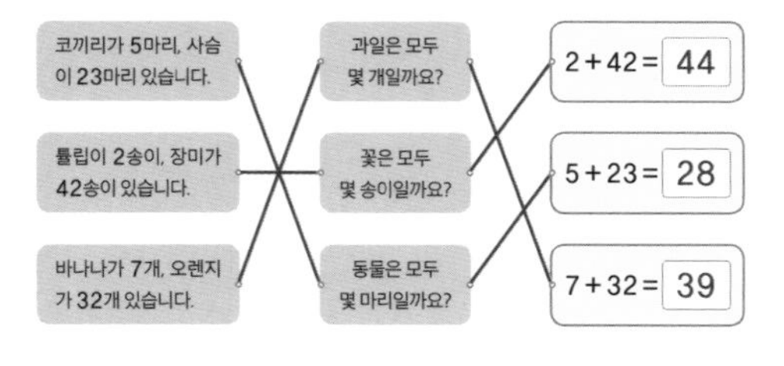

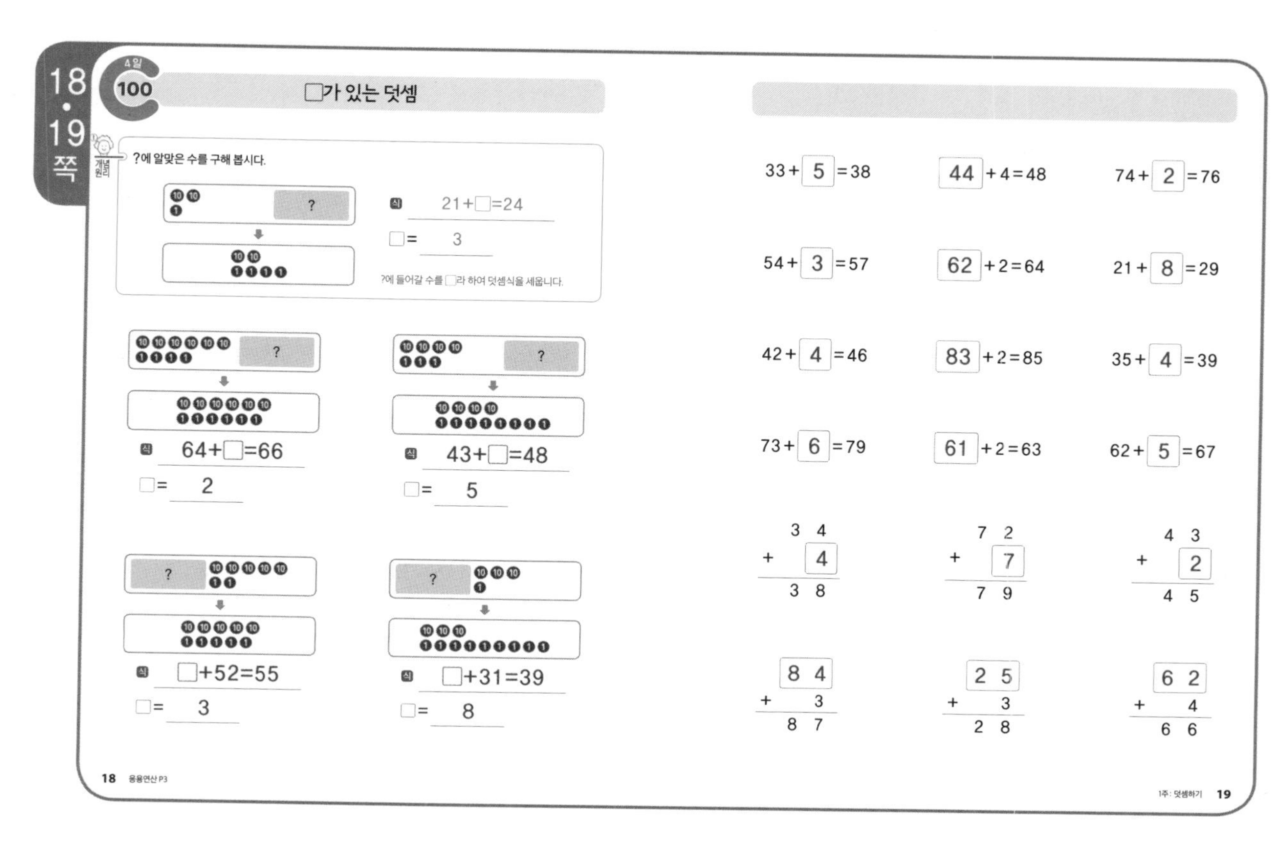
18·19쪽

4일 100

□가 있는 덧셈

개념원리 ?에 알맞은 수를 구해 봅시다.

식 21+□=24

□= 3

?에 들어갈 수를 □라 하여 덧셈식을 세웁니다.

식 64+□=66

□= 2

식 43+□=48

□= 5

식 □+52=55

□= 3

식 □+31=39

□= 8

33+ 5 =38

44 +4=48

74+ 2 =76

54+ 3 =57

62 +2=64

21+ 8 =29

42+ 4 =46

83 +2=85

35+ 4 =39

73+ 6 =79

61 +2=63

62+ 5 =67

34 + 4 = 38

72 + 7 = 79

43 + 2 = 45

84 + 3 = 87

25 + 3 = 28

62 + 4 = 66

18 응용연산 P3

1주: 덧셈하기 19

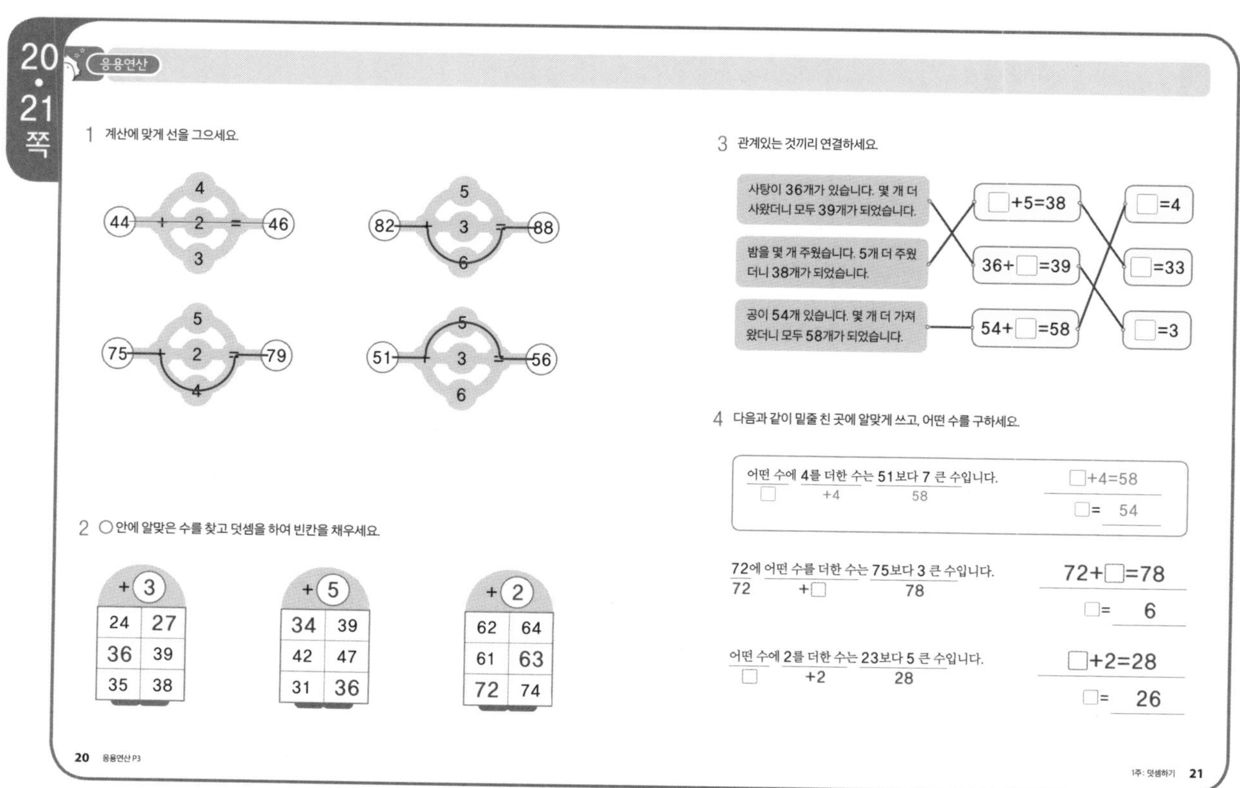
20·21쪽

응용연산

1 계산에 맞게 선을 그으세요.

2 ○안에 알맞은 수를 찾고 덧셈을 하여 빈칸을 채우세요.

+3	
24	27
36	39
35	38

+5	
34	39
42	47
31	36

+2	
62	64
61	63
72	74

3 관계있는 것끼리 연결하세요.

사탕이 36개가 있습니다. 몇 개 더 사왔더니 모두 39개가 되었습니다. — 36+□=39 — □=3

밤을 몇 개 주웠습니다. 5개 더 주웠더니 38개가 되었습니다. — □+5=38 — □=33

공이 54개 있습니다. 몇 개 더 가져왔더니 모두 58개가 되었습니다. — 54+□=58 — □=4

4 다음과 같이 밑줄 친 곳에 알맞게 쓰고, 어떤 수를 구하세요.

어떤 수에 4를 더한 수는 51보다 7 큰 수입니다. □+4=58, □= 54

72에 어떤 수를 더한 수는 75보다 3 큰 수입니다. 72+□=78, □= 6

어떤 수에 2를 더한 수는 23보다 5 큰 수입니다. □+2=28, □= 26

20 응용연산 P3

1주: 덧셈하기 21

22·23쪽

5일 형성평가

1 덧셈에 맞게 알맞게 선을 이으세요.

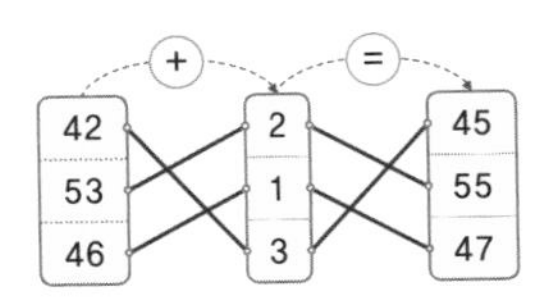

2 닭이 달걀을 어제는 32개, 오늘은 7개 낳았습니다. 어제와 오늘 낳은 달걀은 모두 몇 개일까요?

식 32 + 7 = 39 답 39 개

3 ▭ 안의 수를 모두 사용하여 덧셈식을 완성하세요.

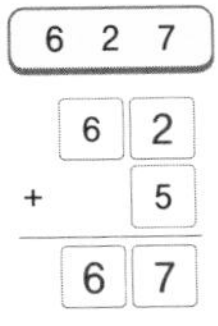

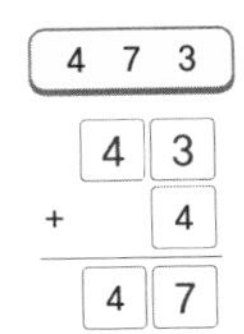

4 재영이 어머니의 연세는 45세입니다. 아버지는 어머니보다 3살 더 많습니다. 재영이 아버지는 몇 세일까요?

식 45 + 3 = 48

답 48 세

5 □ 안에 알맞은 수를 쓰세요.

63 + 3 = 66
3 + 63 = 66

37 + 2 = 39
2 + 37 = 39

6 ✿ 안의 수가 합이 되는 두 수를 모두 찾아 ⬭ 또는 ⬯로 묶으세요.

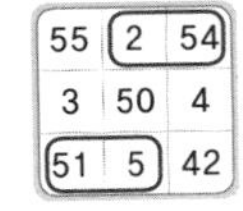

3	31	6
30	4	32
6	33	5

22 응용연산 P3 / 1주: 덧셈하기 23

24쪽

7 주어진 수와 기호를 이용하여 덧셈식 2개를 만들어 보세요.

29 3 26 + =

26+3=29

3+26=29

8 ○ 안에 알맞은 수를 찾고 덧셈을 하여 빈칸을 채우세요.

+5	
63	68
62	67
74	79

+2	
54	56
32	34
46	48

+4	
84	88
71	75
73	77

9 어떤 수에 6을 더한 수는 33보다 6 큰 수입니다. 어떤 수는 얼마일까요?

□ +6 39

33

24 응용연산 P3

뺄셈하기

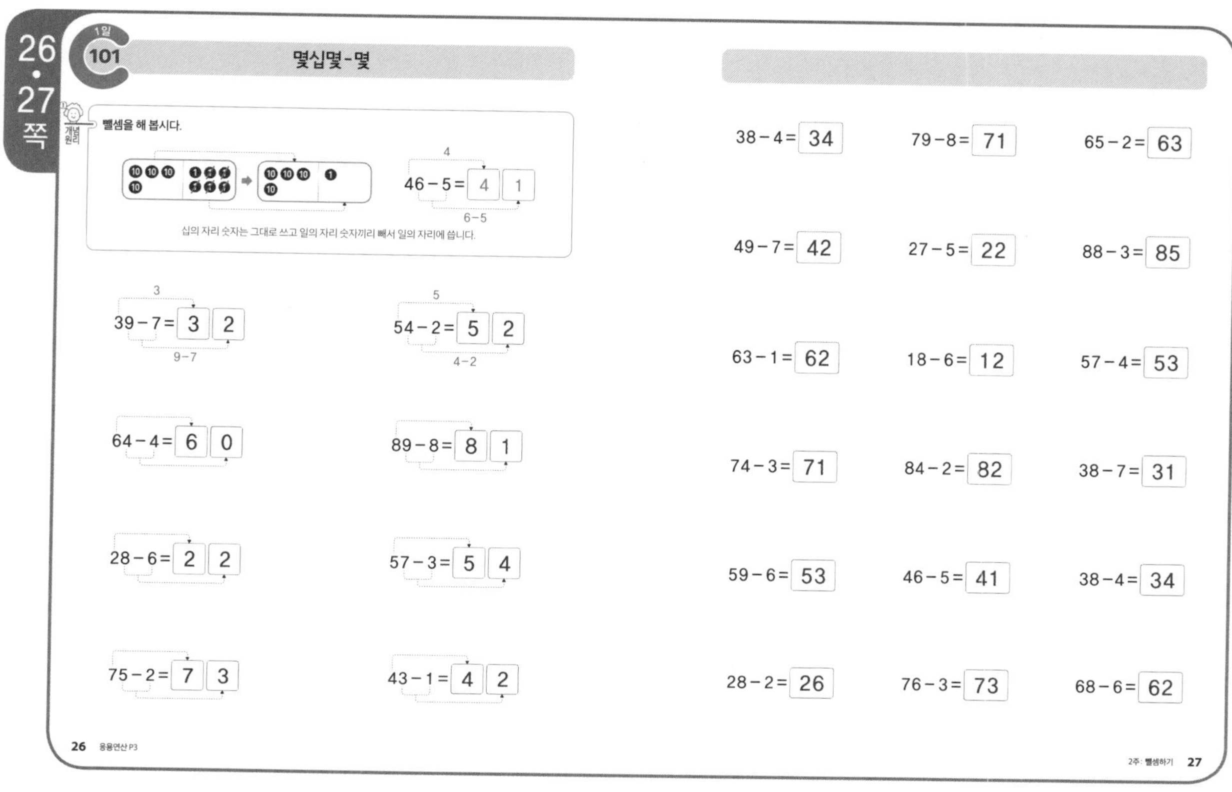
26·27쪽

1일 101 몇십몇 - 몇

개념원리 뺄셈을 해 봅시다.

46 − 5 = 4 1 (4, 6−5)

십의 자리 숫자는 그대로 쓰고 일의 자리 숫자끼리 빼서 일의 자리에 씁니다.

39 − 7 = 3 2 (3, 9−7)

54 − 2 = 5 2 (5, 4−2)

64 − 4 = 6 0

89 − 8 = 8 1

28 − 6 = 2 2

57 − 3 = 5 4

75 − 2 = 7 3

43 − 1 = 4 2

38 − 4 = 34　79 − 8 = 71　65 − 2 = 63

49 − 7 = 42　27 − 5 = 22　88 − 3 = 85

63 − 1 = 62　18 − 6 = 12　57 − 4 = 53

74 − 3 = 71　84 − 2 = 82　38 − 7 = 31

59 − 6 = 53　46 − 5 = 41　38 − 4 = 34

28 − 2 = 26　76 − 3 = 73　68 − 6 = 62

26 응용연산 P3

2주: 뺄셈하기 27

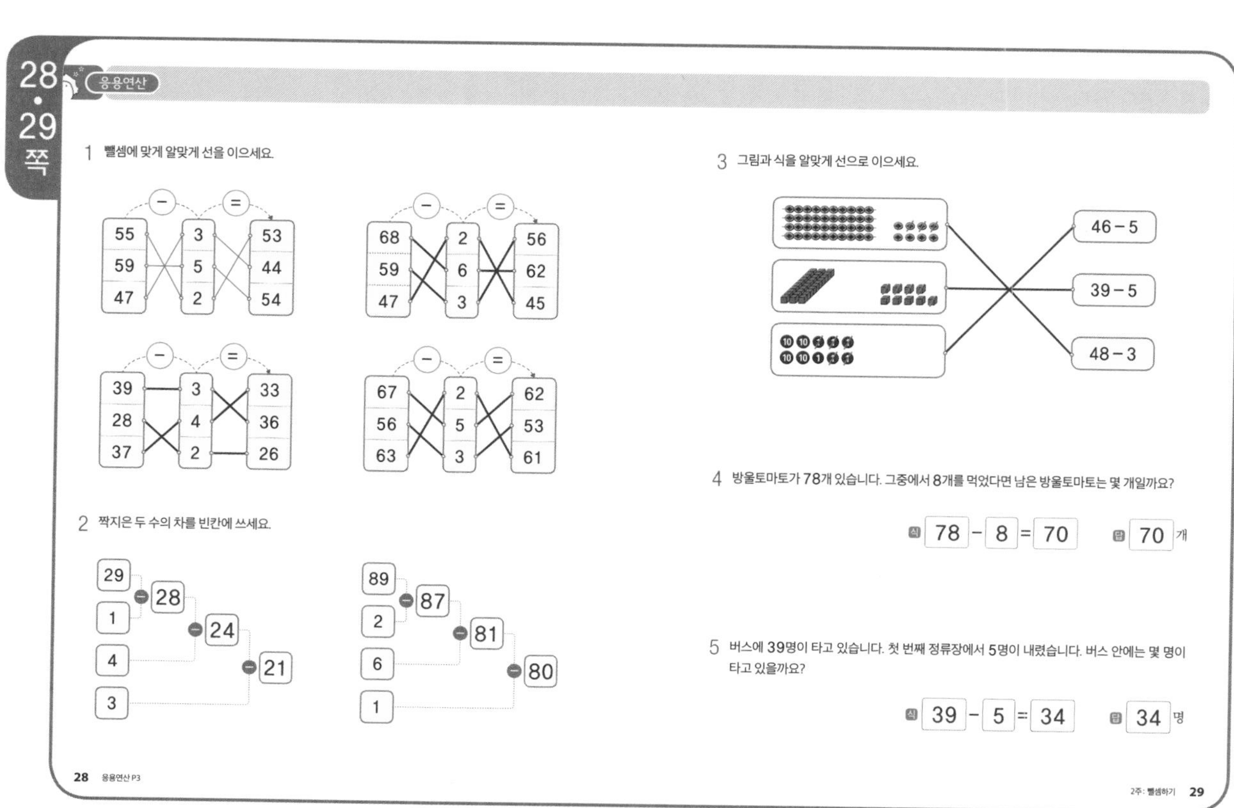
28·29쪽

응용연산

1 뺄셈에 맞게 알맞게 선을 이으세요.

55, 59, 47 − 3, 5, 2 = 53, 44, 54

68, 59, 47 − 2, 6, 3 = 56, 62, 45

39, 28, 37 − 3, 4, 2 = 33, 36, 26

67, 56, 63 − 2, 5, 3 = 62, 53, 61

2 짝지은 두 수의 차를 빈칸에 쓰세요.

29, 1 → 28; 4 → 24; 3 → 21

89, 2 → 87; 6 → 81; 1 → 80

3 그림과 식을 알맞게 선으로 이으세요.

46 − 5

39 − 5

48 − 3

4 방울토마토가 78개 있습니다. 그중에서 8개를 먹었다면 남은 방울토마토는 몇 개일까요?

식 78 − 8 = 70　답 70 개

5 버스에 39명이 타고 있습니다. 첫 번째 정류장에서 5명이 내렸습니다. 버스 안에는 몇 명이 타고 있을까요?

식 39 − 5 = 34　답 34 명

28 응용연산 P3

2주: 뺄셈하기 29

30·31쪽

2일 102 **세로셈으로 뺄셈하기**

개념원리 세로 방식으로 뺄셈을 해 봅시다.

$45 - 3 = 42$

십의 자리 숫자는 그대로 쓰고
일의 자리 숫자끼리 빼서 일의 자리에 씁니다.

- $58 - 7 = 51$
- $66 - 4 = 62$
- $35 - 2 = 33$
- $74 - 2 = 72$
- $28 - 5 = 23$
- $52 - 1 = 51$
- $82 - 2 = 80$
- $47 - 6 = 41$
- $69 - 4 = 65$

- $27 - 2 = 25$
- $35 - 3 = 32$
- $59 - 4 = 55$
- $94 - 3 = 91$
- $76 - 2 = 74$
- $88 - 4 = 84$
- $45 - 4 = 41$
- $68 - 4 = 64$
- $36 - 2 = 34$
- $73 - 2 = 71$
- $56 - 4 = 52$
- $47 - 3 = 44$
- $96 - 3 = 93$
- $29 - 3 = 26$
- $75 - 1 = 74$

32·33쪽

응용연산

1 □ 안에 알맞은 수를 쓰세요.

- $79 - 7 = 72$
- $54 - 2 = 52$
- $83 - 1 = 82$

2 □ 안의 세 수를 모두 사용하여 뺄셈식을 완성하세요.

- 8 5 6: $58 - 2 = 56$
- 7 1 6: $76 - 5 = 71$
- 8 2 3: $28 - 5 = 23$
- 9 3 7: $97 - 4 = 93$
- 8 4 5: $48 - 3 = 45$
- 6 0 4: $64 - 4 = 60$

3 주어진 수를 모두 사용하여 뺄셈식을 만드세요.

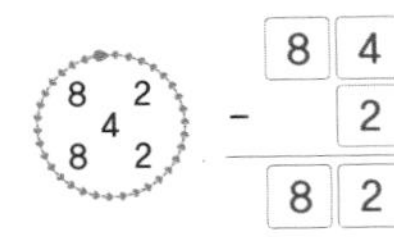

$84 - 2 = 82$

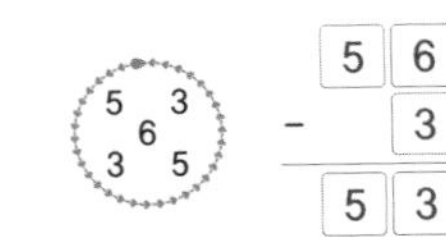

$56 - 3 = 53$

4 주차장에 자동차가 97대 있습니다. 3대가 빠져나갔다면 주차장에 남아 있는 자동차는 몇 대일까요?

식 $97 - 3 = 94$

답 94 대

5 수홍이 할아버지의 연세는 79세입니다. 할머니는 할아버지보다 6살 적습니다. 할머니는 몇 세일까요?

식 $79 - 6 = 73$

답 73 세

34·35쪽

3일 103 두 수의 차

개념원리 하나씩 선을 잇고 두 수의 차를 구해 봅시다.

58 - 5 = 53

하나씩 선으로 잇고 남은 수는 두 수의 차입니다.

65 - 4 = 61

46 - 3 = 43

83 - 1 = 82

39 - 6 = 33

77 - 3 = 74

98 - 7 = 91

괄호 안 두 수의 차를 구하는 식을 쓰세요.

(37, 3) 37 - 3 = 34

(66, 4) 66 - 4 = 62

(45, 4) 45 - 4 = 41

(59, 5) 59 - 5 = 54

(84, 2) 84 - 2 = 82

(26, 3) 26 - 3 = 23

(63, 3) 63 - 3 = 60

(49, 6) 49 - 6 = 43

(98, 4) 98 - 4 = 94

34 응용연산 P3

2주·뺄셈하기 35

36·37쪽

응용연산

1 차가 가운데 수가 되는 두 수에 색칠하고 뺄셈식을 완성하세요.

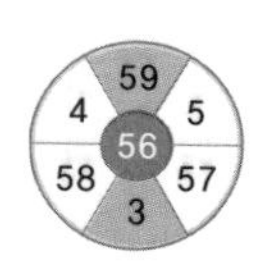

59 - 3 = 56

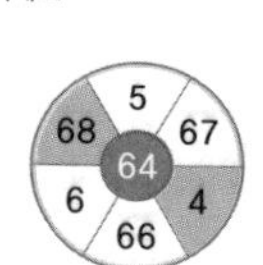

68 - 4 = 64

2 안의 수가 차가 되는 두 수를 모두 찾아 ⬭ 또는 ⬯로 묶으세요.

48	5	47
4	45	3
46	2	44

3	72	6
74	2	78
4	75	5

85

2	88	3
85	4	87
1	86	5

36

38	2	37
1	35	3
36	4	39

3 수 배열표의 일부입니다. 같은 모양의 수끼리 차를 구하세요.

★	3	◆	5	♥	7
		14			
	23			◆	
			35		38
	43				♥
52	★			57	

★: 53 - 2 = 51

◆: 27 - 4 = 23

♥: 48 - 6 = 42

4 알맞은 말에 ○표 하고, 식을 완성하세요.

오리가 8마리, 병아리가 39마리 있습니다.
(오리 , (병아리))는 ((오리), 병아리)보다 몇 마리 더 많을까요?

식 39 - 8 = 31 답 31 마리

남학생이 28명, 여학생이 7명 있습니다.
((남학생), 여학생)은 (남학생 , (여학생))보다 몇 명 더 많을까요?

식 28 - 7 = 21 답 21 명

38 · 39쪽

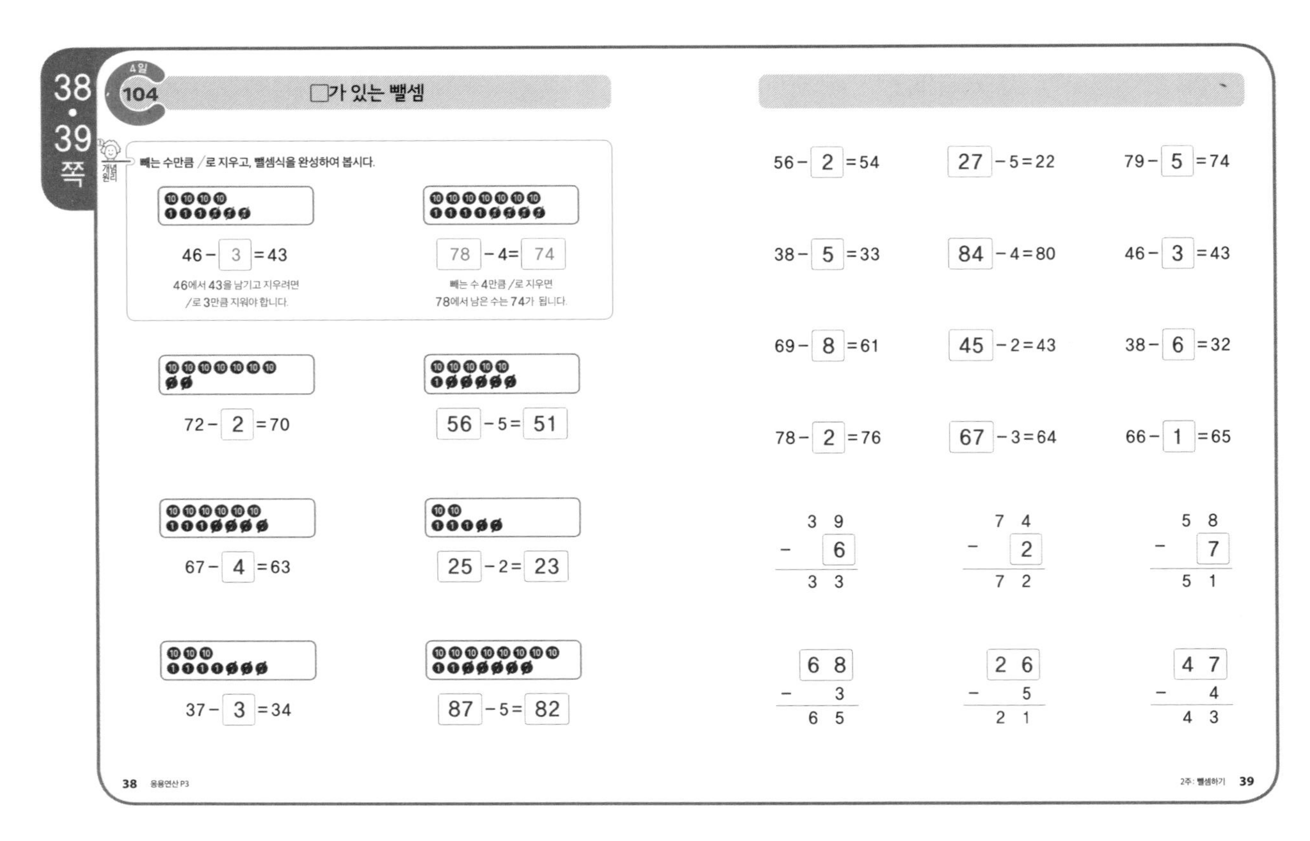
4일 104
□가 있는 뺄셈
빼는 수만큼 /로 지우고, 뺄셈식을 완성하여 봅시다.
46 − 3 = 43
46에서 43을 남기고 지우려면 /로 3만큼 지워야 합니다.
78 − 4 = 74
빼는 수 4만큼 /로 지우면 78에서 남은 수는 74가 됩니다.
72 − 2 = 70
56 − 5 = 51
67 − 4 = 63
25 − 2 = 23
37 − 3 = 34
87 − 5 = 82
56 − 2 = 54
27 − 5 = 22
79 − 5 = 74
38 − 5 = 33
84 − 4 = 80
46 − 3 = 43
69 − 8 = 61
45 − 2 = 43
38 − 6 = 32
78 − 2 = 76
67 − 3 = 64
66 − 1 = 65
39 − 6 = 33
74 − 2 = 72
58 − 7 = 51
68 − 3 = 65
26 − 5 = 21
47 − 4 = 43
38 응용연산 P3
2주: 뺄셈하기 39

40 · 41쪽

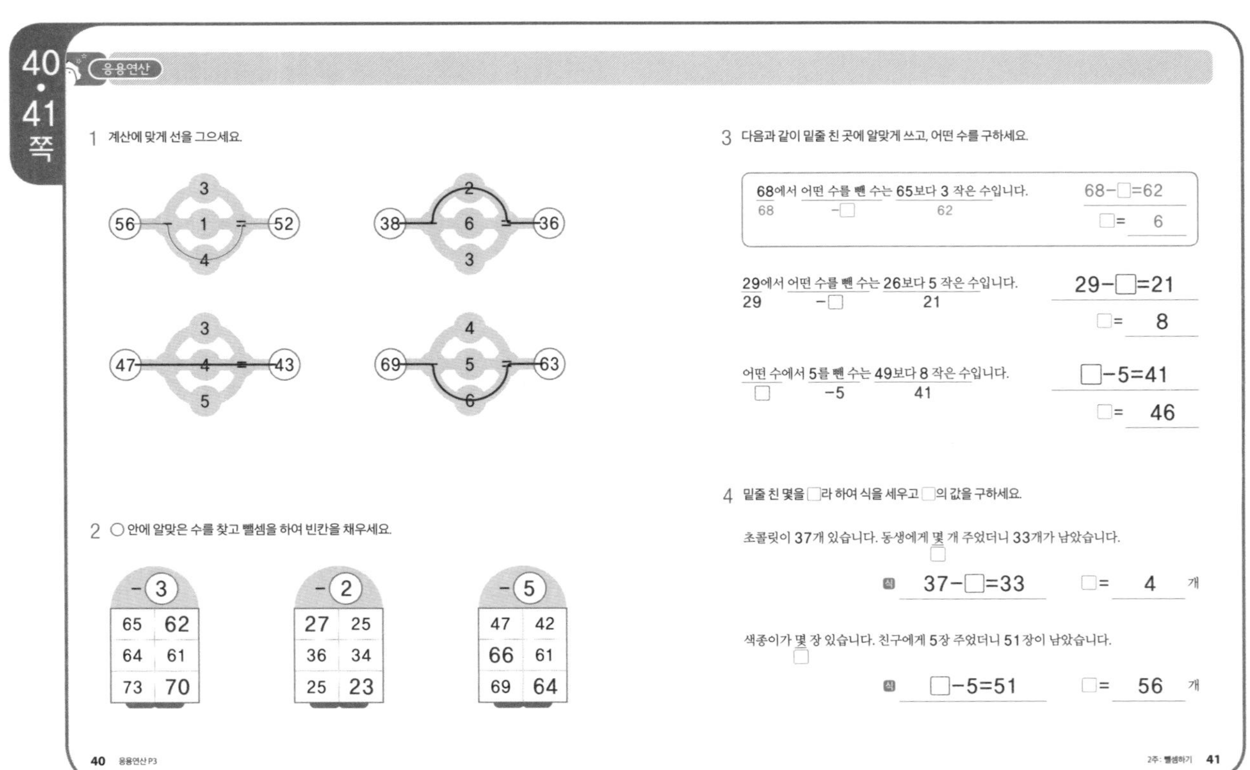
응용연산
1 계산에 맞게 선을 그으세요.
2 ○ 안에 알맞은 수를 찾고 뺄셈을 하여 빈칸을 채우세요.
−3: 65 62 / 64 61 / 73 70
−2: 27 25 / 36 34 / 25 23
−5: 47 42 / 66 61 / 69 64
3 다음과 같이 밑줄 친 곳에 알맞게 쓰고, 어떤 수를 구하세요.
68에서 어떤 수를 뺀 수는 65보다 3 작은 수입니다.
68−□=62
□= 6
29에서 어떤 수를 뺀 수는 26보다 5 작은 수입니다.
29−□=21
□= 8
어떤 수에서 5를 뺀 수는 49보다 8 작은 수입니다.
□−5=41
□= 46
4 밑줄 친 몇을 □라 하여 식을 세우고 □의 값을 구하세요.
초콜릿이 37개 있습니다. 동생에게 몇 개 주었더니 33개가 남았습니다.
37−□=33
□= 4 개
색종이가 몇 장 있습니다. 친구에게 5장 주었더니 51장이 남았습니다.
□−5=51
□= 56 개
40 응용연산 P3
2주: 뺄셈하기 41

42·43쪽

5일 형성평가

1 뺄셈에 맞게 알맞게 선을 이으세요.

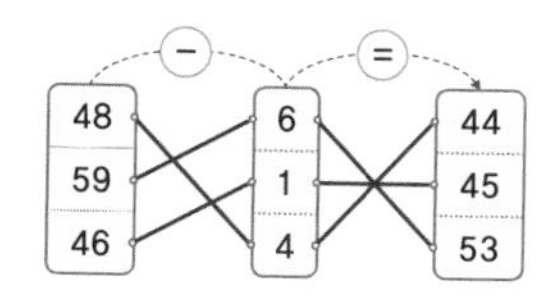

2 밤나무에 밤이 74개 열렸습니다. 그중에서 3개가 떨어졌다면 밤나무에 남아 있는 밤은 몇 개일까요?

식 74 − 3 = 71 답 71 개

3 ▭ 안의 세 수를 모두 사용하여 뺄셈식을 완성하세요.

8 5 4: 58 − 4 = 54

7 2 4: 74 − 2 = 72

4 쿠키가 58개 있습니다. 누나와 함께 쿠키 6개를 먹었습니다. 남은 쿠키는 몇 개일까요?

식 58 − 6 = 52 답 52 개

5 두 수의 차를 구하세요.

39, 7 → 39 − 7 = 32

6 ✹ 안의 수가 차가 되는 두 수를 모두 찾아 ⬭ 또는 ⬯로 묶으세요.

69	4	66
5	68	2
65	1	67

57	5	55
4	59	6
54	2	56

44쪽

7 알맞은 말에 ○표 하고, 식을 완성하세요.

딸기가 5개, 토마토가 38개 있습니다.
(딸기 , (토마토))는 ((딸기), 토마토)보다 몇 개 더 많을까요?

식 38 − 5 = 33 답 33 개

8 ○ 안에 알맞은 수를 찾고 뺄셈을 하여 빈칸을 채우세요.

−2

67	65
62	60
54	52

−4

68	64
57	53
55	51

−5

26	21
75	70
37	32

9 밑줄 친 몇을 □라 하여 식을 세우고 □의 값을 구하세요.

사탕이 48개 있습니다. 형에게 몇 개 주었더니 42개 남았습니다.

식 48−□=42 □= 6 개

덧셈과 뺄셈

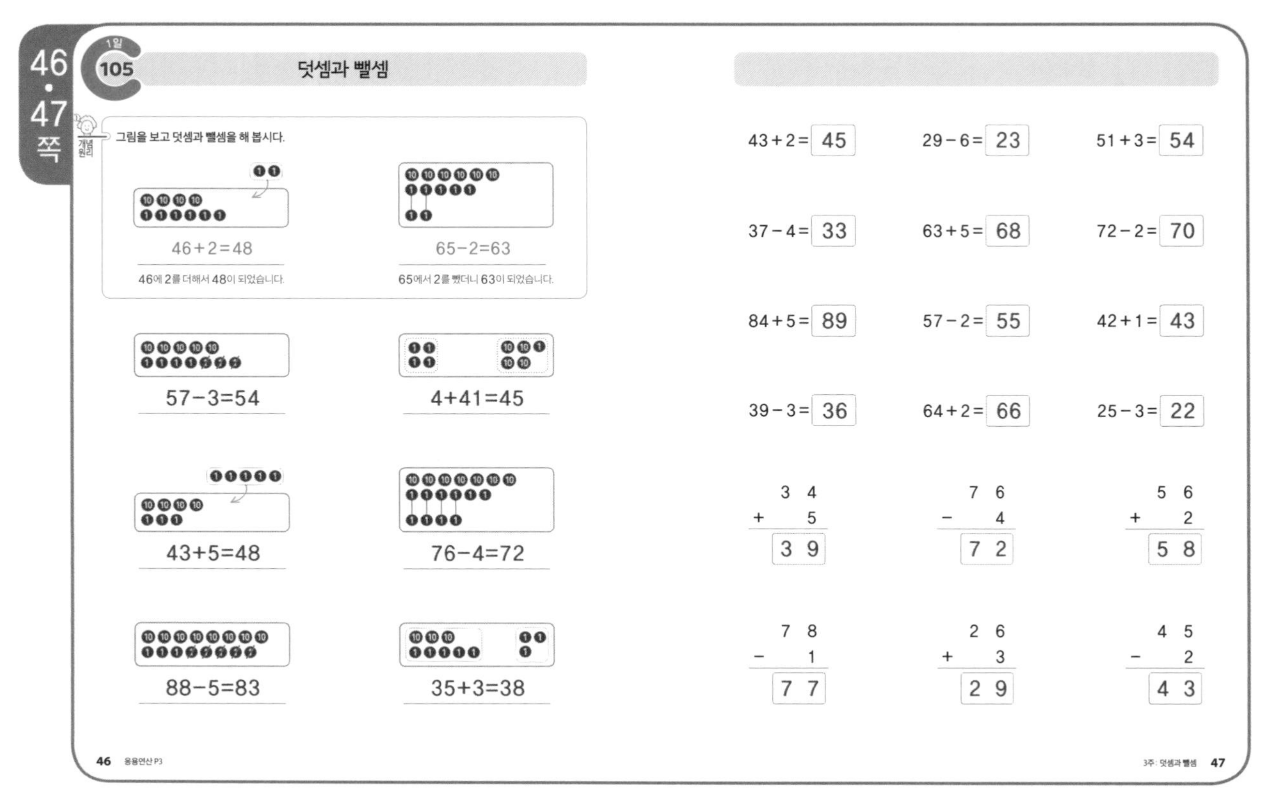
46·47쪽

1일 105 덧셈과 뺄셈

개념원리 그림을 보고 덧셈과 뺄셈을 해 봅시다.

46+2=48
46에 2를 더해서 48이 되었습니다.

65−2=63
65에서 2를 뺐더니 63이 되었습니다.

57−3=54

4+41=45

43+5=48

76−4=72

88−5=83

35+3=38

43+2= 45 29−6= 23 51+3= 54

37−4= 33 63+5= 68 72−2= 70

84+5= 89 57−2= 55 42+1= 43

39−3= 36 64+2= 66 25−3= 22

34+5=39 76−4=72 56+2=58

78−1=77 26+3=29 45−2=43

46 응용연산 P3 3주: 덧셈과 뺄셈 47

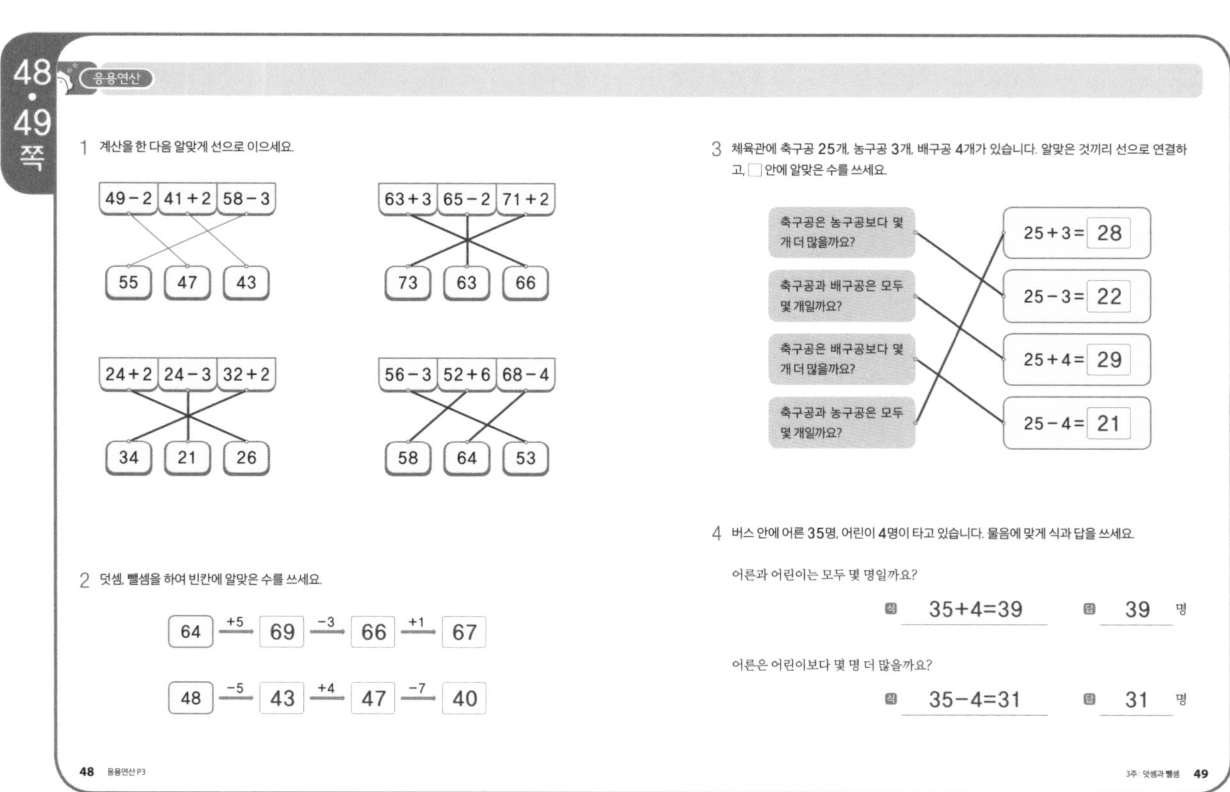
48·49쪽

응용연산

1 계산을 한 다음 알맞게 선으로 이으세요.

49−2, 41+2, 58−3 → 55, 47, 43

63+3, 65−2, 71+2 → 73, 63, 66

24+2, 24−3, 32+2 → 34, 21, 26

56−3, 52+6, 68−4 → 58, 64, 53

2 덧셈, 뺄셈을 하여 빈칸에 알맞은 수를 쓰세요.

64 →(+5) 69 →(−3) 66 →(+1) 67

48 →(−5) 43 →(+4) 47 →(−7) 40

3 체육관에 축구공 25개, 농구공 3개, 배구공 4개가 있습니다. 알맞은 것끼리 선으로 연결하고, □ 안에 알맞은 수를 쓰세요.

축구공은 농구공보다 몇 개 더 많을까요? — 25−3= 22

축구공과 배구공은 모두 몇 개일까요? — 25+4= 29

축구공은 배구공보다 몇 개 더 많을까요? — 25−4= 21

축구공과 농구공은 모두 몇 개일까요? — 25+3= 28

4 버스 안에 어른 35명, 어린이 4명이 타고 있습니다. 물음에 맞게 식과 답을 쓰세요.

어른과 어린이는 모두 몇 명일까요?

식 35+4=39 답 39 명

어른은 어린이보다 몇 명 더 많을까요?

식 35−4=31 답 31 명

48 응용연산 P3 3주: 덧셈과 뺄셈 49

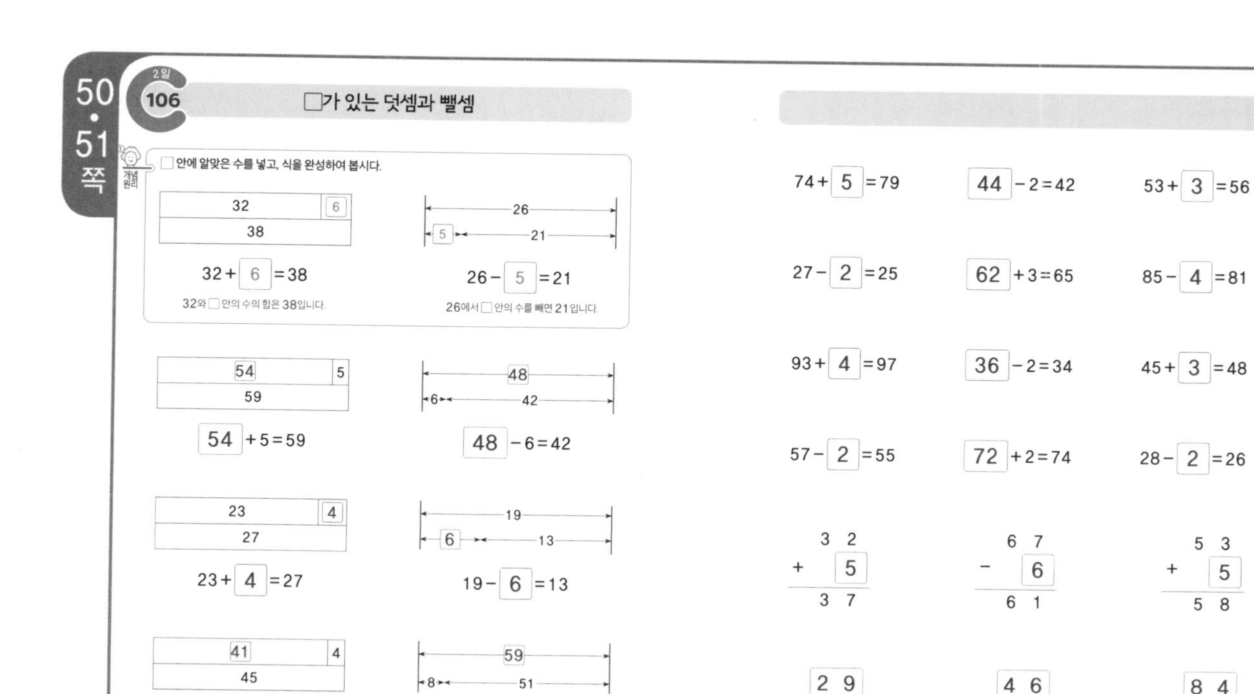

50·51쪽

2일 106

□가 있는 덧셈과 뺄셈

개념원리 □ 안에 알맞은 수를 넣고, 식을 완성하여 봅시다.

32 + [6] = 38

32와 □ 안의 수의 합은 38입니다.

26 − [5] = 21

26에서 □ 안의 수를 빼면 21입니다.

[54] + 5 = 59

[48] − 6 = 42

23 + [4] = 27

19 − [6] = 13

[41] + 4 = 45

[59] − 8 = 51

74 + [5] = 79 | [44] − 2 = 42 | 53 + [3] = 56

27 − [2] = 25 | [62] + 3 = 65 | 85 − [4] = 81

93 + [4] = 97 | [36] − 2 = 34 | 45 + [3] = 48

57 − [2] = 55 | [72] + 2 = 74 | 28 − [2] = 26

32 + [5] = 37 | 67 − [6] = 61 | 53 + [5] = 58

[29] − 2 = 27 | [46] + 3 = 49 | [84] − 3 = 81

50 응용연산 P3 · 3주: 덧셈과 뺄셈 51

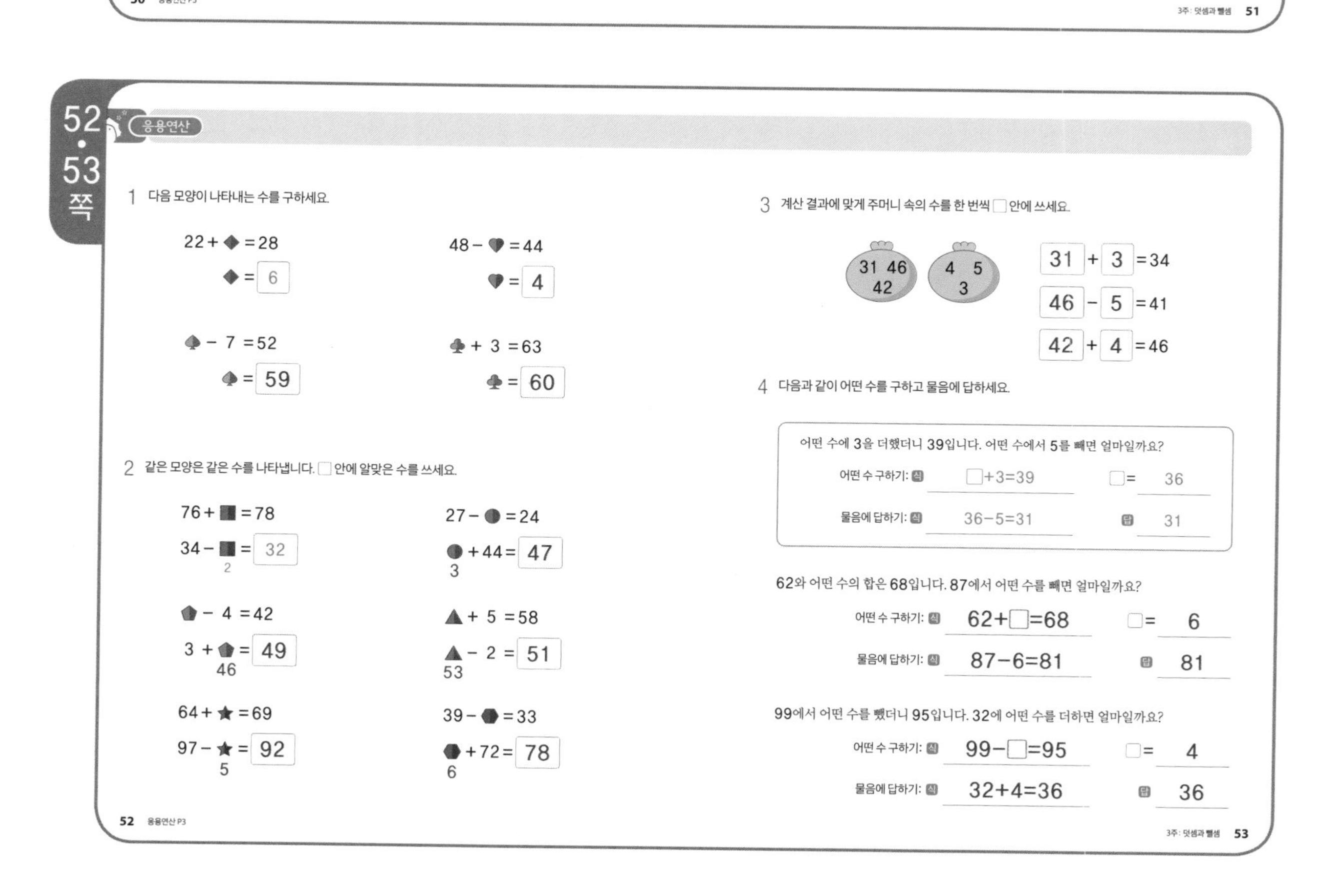

52·53쪽

응용연산

1 다음 모양이 나타내는 수를 구하세요.

22 + ◆ = 28, ◆ = [6]

48 − ♥ = 44, ♥ = [4]

♠ − 7 = 52, ♠ = [59]

♣ + 3 = 63, ♣ = [60]

2 같은 모양은 같은 수를 나타냅니다. □ 안에 알맞은 수를 쓰세요.

76 + ■ = 78, 34 − ■ = [32] (2)

27 − ● = 24, ● + 44 = [47] (3)

⬟ − 4 = 42, 3 + ⬟ = [49] (46)

▲ + 5 = 58, ▲ − 2 = [51] (53)

64 + ★ = 69, 97 − ★ = [92] (5)

39 − ⬢ = 33, ⬢ + 72 = [78] (6)

3 계산 결과에 맞게 주머니 속의 수를 한 번씩 □ 안에 쓰세요.

주머니: 31 46 42 / 4 5 3

[31] + [3] = 34

[46] − [5] = 41

[42] + [4] = 46

4 다음과 같이 어떤 수를 구하고 물음에 답하세요.

어떤 수에 3을 더했더니 39입니다. 어떤 수에서 5를 빼면 얼마일까요?

어떤 수 구하기: 식 □+3=39 □= 36

물음에 답하기: 식 36−5=31 답 31

62와 어떤 수의 합은 68입니다. 87에서 어떤 수를 빼면 얼마일까요?

어떤 수 구하기: 식 62+□=68 □= 6

물음에 답하기: 식 87−6=81 답 81

99에서 어떤 수를 뺐더니 95입니다. 32에 어떤 수를 더하면 얼마일까요?

어떤 수 구하기: 식 99−□=95 □= 4

물음에 답하기: 식 32+4=36 답 36

52 응용연산 P3 · 3주: 덧셈과 뺄셈 53

54·55쪽

3일 107 **합과 차**

개념원리 두 수의 합과 차를 구해 봅시다.

36 3 → 합 39 ← 39+3, 차 33 ← 36−3

36과 3의 합은 36+3=39이고
36과 3의 차는 36−3=33입니다.
차는 큰 수에서 작은 수를 뺍니다.

두 수	합	차
3 63	66	60
47 2	49	45
2 66	68	64
74 3	77	71
4 54	58	50
85 4	89	81
3 55	58	52
28 1	29	27
2 95	97	93

○ 안에는 >, =, <를, □ 안에는 수를 쓰세요.

67−3 (<) 63+3

34+2 (>) 36−4

76−2 (=) 72+2 　 24+5 (>) 24−3

43+2 (<) 49−2 　 38−3 (=) 31+4

33+3=[38]−2 　 [54]+2=59−3

26+2=[29]−1 　 [73]+1=77−3

63+4=69−[2] 　 42+[2]=48−4

31+5=38−[2] 　 83+[4]=89−2

56·57쪽

응용연산

1 왼쪽은 두 수의 합, 오른쪽은 두 수의 차입니다. 두 수를 모두 찾아 ○표 하세요.

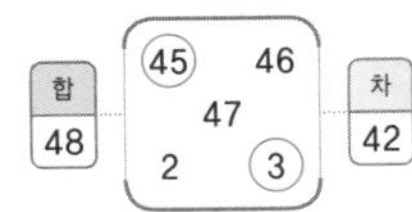

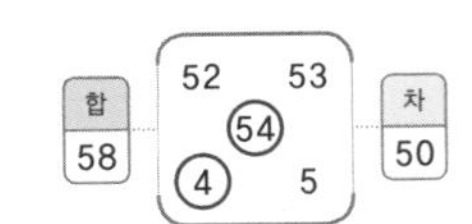

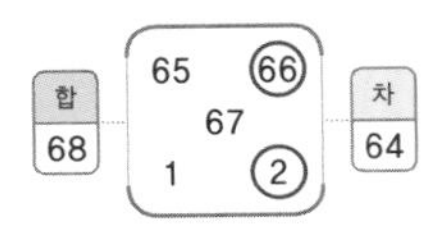

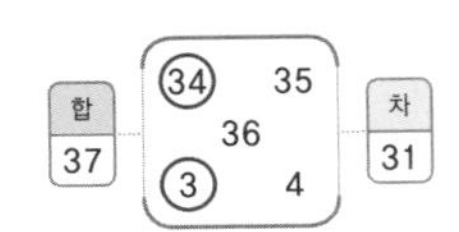

2 같은 모양 안에는 같은 수가 들어갑니다. 덧셈식과 뺄셈식에 맞게 수 카드의 수를 골라 쓰세요.

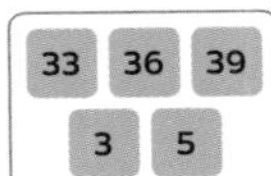

[36]+(3)=39
[36]−(3)=33

74 75 76 / 2 4

[74]+(4)=78
[74]−(4)=70

3 같은 모양에는 같은 수가 들어갑니다. 빈칸에 알맞은 수를 쓰세요.

(23)+[3]=26
(23)−[3]=20

△45+⬠3=48
△45−⬠3=42

4 상자 안에 사과와 귤이 27개 들어 있습니다. 사과가 귤보다 21개 많습니다. 사과와 귤의 개수를 알아봅시다.

사과와 귤 개수의 합과 차는 각각 얼마일까요?

합: [27], 차: [21]

합과 차에 맞게 두 수를 구해 보세요.

두 수: [3], [24]

사과와 귤은 각각 몇 개일까요?

사과: [24]개, 귤: [3]개

5 농장에 닭과 돼지를 합하여 39마리가 있습니다. 닭이 돼지보다 33마리 많습니다. 닭은 몇 마리일까요?

[36]마리

58·59쪽

4일 108 숫자 카드 덧셈과 뺄셈

개념원리 숫자 카드를 한 번씩 사용하여 계산 결과에 맞게 덧셈식 또는 뺄셈식을 만들어 봅시다.

2 3 6

36+2=38 63−2=61

63+2=65 26−3=23

숫자 카드 2장으로 두 자리 수를 만들고, 나머지 1장으로 한 자리 수를 만듭니다.

3 1 5

31+5=36또는 35+1 15−3=12

51+3=54또는 53+1 35−1=34

2 7 3

72+3=75또는 73+2 37−2=35

32+7=39또는 37+2 73−2=71

5 4 1

41+5=46

14+5=19

계산 결과에 맞게 숫자 카드를 한 번씩 써서 식을 완성하세요.

3 2 6

32+6=38 또는 36+2

23+6=29 또는 26+3

62+3=65 또는 63+2

3 4 7

37−4=33

74−3=71

47−3=44

2 1 6

61+2=63 또는 62+1

21+6=27 또는 26+1

12+6=18 또는 16+2

8 2 4

84−2=82

28−4=24

48−2=46

60·61쪽

응용연산

1 식에 맞게 꿀벌이 지나가는 길을 그리고, 덧셈식 또는 뺄셈식을 쓰세요.

38−2=36

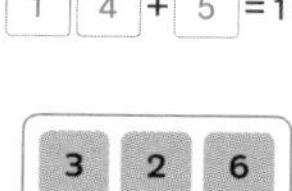

45+3=48

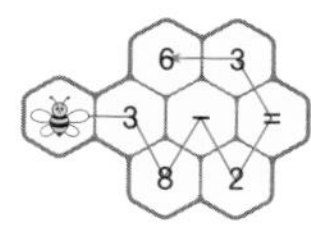

63+4=67

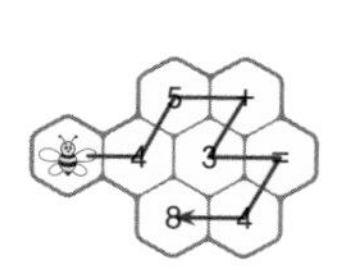

57−5=52

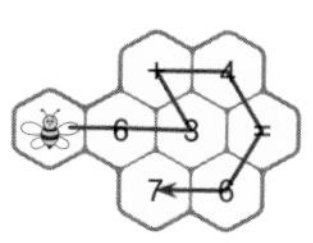

24−4=20

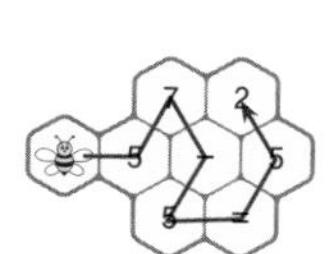

33+6=39

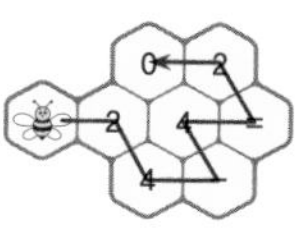

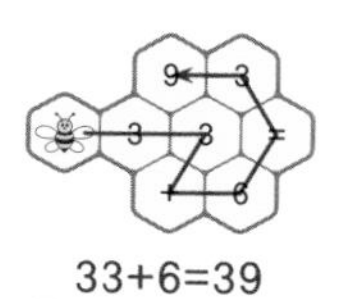

2 색칠해진 버튼을 한 번씩만 눌렀습니다. 계산 결과가 나오도록 식을 쓰세요.

58−6=52

3 5, 7, 2 세 장의 숫자 카드를 한 번씩만 사용하여 만든 두 자리 수와 한 자리 수의 합이 가장 클 때의 식과 답을 구하세요.

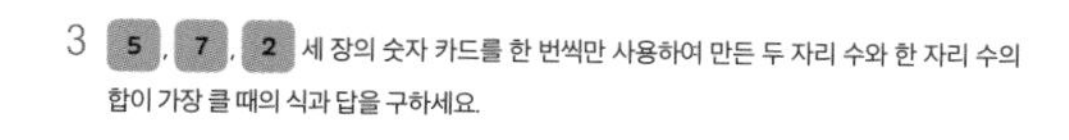

식 75+2=77 또는 72+5=77 답 77

4 8, 1, 6 세 장의 숫자 카드를 한 번씩만 사용하여 만든 두 자리 수와 한 자리 수의 차가 가장 클 때의 식과 답을 구하세요.

식 86−1=85 답 85

62·63쪽

5일 형성평가

1 계산을 한 다음 알맞게 선으로 이으세요.

45 − 1	48 − 2	54 − 2
51 + 1	42 + 2	41 + 5

2 초콜릿이 46개, 사탕이 3개 있습니다. 물음에 맞게 식과 답을 구하세요.

초콜릿과 사탕은 모두 몇 개일까요?

식 46+3=49 답 49 개

초콜릿은 사탕보다 몇 개 더 많을까요?

식 46−3=43 답 43 개

3 같은 모양은 같은 수를 나타냅니다. □ 안에 알맞은 수를 쓰세요.

45 − ◆ = 41

72 + ◆ = 76

4

♥ + 6 = 69

♥ − 3 = 60

63

4 어떤 수에 3을 더했더니 39입니다. 어떤 수에서 5를 빼면 얼마일까요? 31

5 왼쪽은 두 수의 합, 오른쪽은 두 수의 차입니다. 두 수를 찾아 모두 ○표 하세요.

합 28 | 23, (24), 25, 3, (4) | 차 20

6 상자 안에 야구공과 축구공이 모두 48개 들어 있습니다. 야구공이 축구공보다 42개 더 많습니다. 야구공과 축구공의 개수를 알아봅시다.

야구공과 축구공 개수의 합과 차는 각각 얼마일까요?

합: 48, 차: 42

합과 차에 맞게 두 수를 구해 보세요.

두 수: 45, 3

야구공과 축구공은 각각 몇 개일까요?

야구공: 45 개, 축구공: 3 개

62 응용연산 P3 3주: 덧셈과 뺄셈 63

64쪽

7 계산 결과에 맞게 숫자 카드의 수를 한 번씩 사용하여 뺄셈식을 만드세요.

54−2 = 52

25−4 = 21

45−2 = 43

8 식에 맞게 꿀벌이 지나가는 길을 그리고, 덧셈식을 쓰세요.

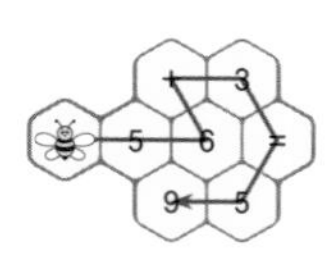

56+3=59

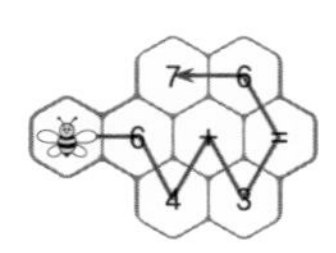

64+3=67

9 5, 3, 8 세 장의 숫자 카드를 한 번씩만 사용하여 만든 두 자리 수와 한 자리 수의 차가 가장 클 때의 식과 답을 구하세요.

식 85−3=82 답 82

64 응용연산 P3

세 수의 계산

66·67쪽

1일 109 더하고 더하기

개념원리 세 수의 덧셈을 해 봅시다.

32+3+1= 35 +1= 36

32+3+1=32+ 4 = 36

32+3+1= 33 +3= 36

세 수의 덧셈에서는 순서에 상관없이 두 수를 더하고 남은 한 수를 더합니다.

53+4+2= 57 +2 = 59

31+5+3=31+ 8 = 39

42+4+2= 44 +4 = 48

63+3+2= 66 +2 = 68

85+1+2= 86 +2 = 88

74+3+2= 76 +3 = 79

45+3+1= 48 +1 = 49

53+2+3= 55 +3 = 58

91+4+2=91+ 6 = 97

22+4+3=22+ 7 = 29

71+5+1= 72 +5 = 77

63+4+2= 65 +4 = 69

62+2+3= 67

54+1+3= 58

72+1+5= 78

81+7+1= 89

1+12+3= 16

1+91+4= 96

66 응용연산 P3

4주: 세 수의 계산 67

68·69쪽

응용연산

1 연결된 세 수의 합이 ☆ 안의 수가 되도록 삼각형을 그리세요.

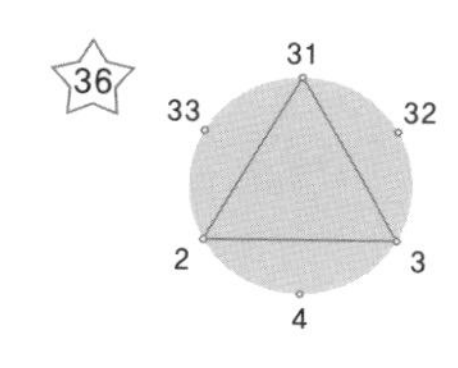

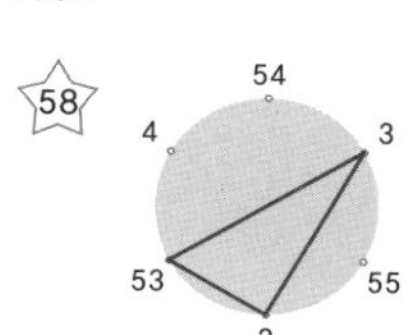

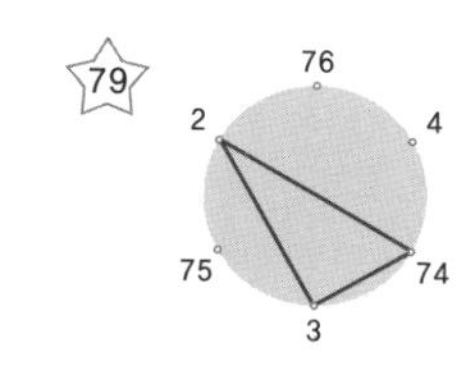

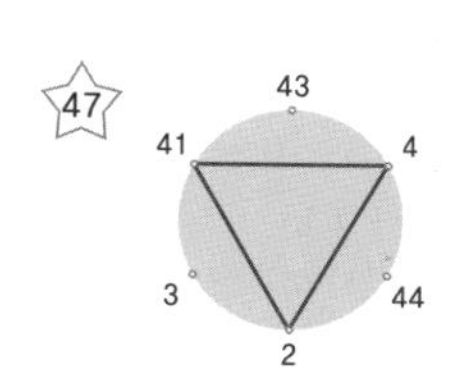

2 수 카드에서 합이 ◯ 안의 수가 되는 세 수를 찾아 ◯표 하세요.

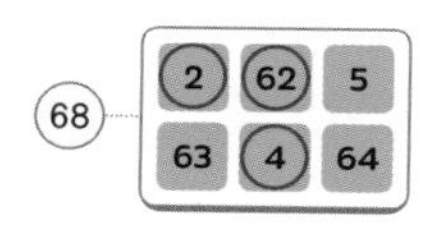

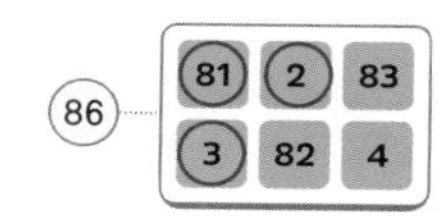

3 다음과 같이 세 수의 합에 맞게 하나의 수를 지우고 바른 식을 쓰세요.

~~2~~ 4 + 5 3 + 2 = 59 ➡ 4+53+2=59

7 1 + 4 ~~2~~ + 3 = 78 ➡ 71+4+3=78

~~3~~ 2 + 6 1 + 4 = 67 ➡ 2+61+4=67

4 3 + ~~5~~ 2 + 1 = 46 ➡ 43+2+1=46

4 책꽂이에 동화책이 21권, 위인전이 3권, 만화책이 4권 있습니다. 책꽂이에 있는 책은 모두 몇 권일까요?

식 21 + 3 + 4 = 28 답 28 권

5 동물원에 사자 6마리와 하마 2마리가 있습니다. 이 동물원에 펭귄 41마리가 더 왔습니다. 동물원에 있는 동물은 모두 몇 마리일까요?

식 6+2+41=49 답 49 마리

68 응용연산 P3

4주: 세 수의 계산 69

70·71쪽

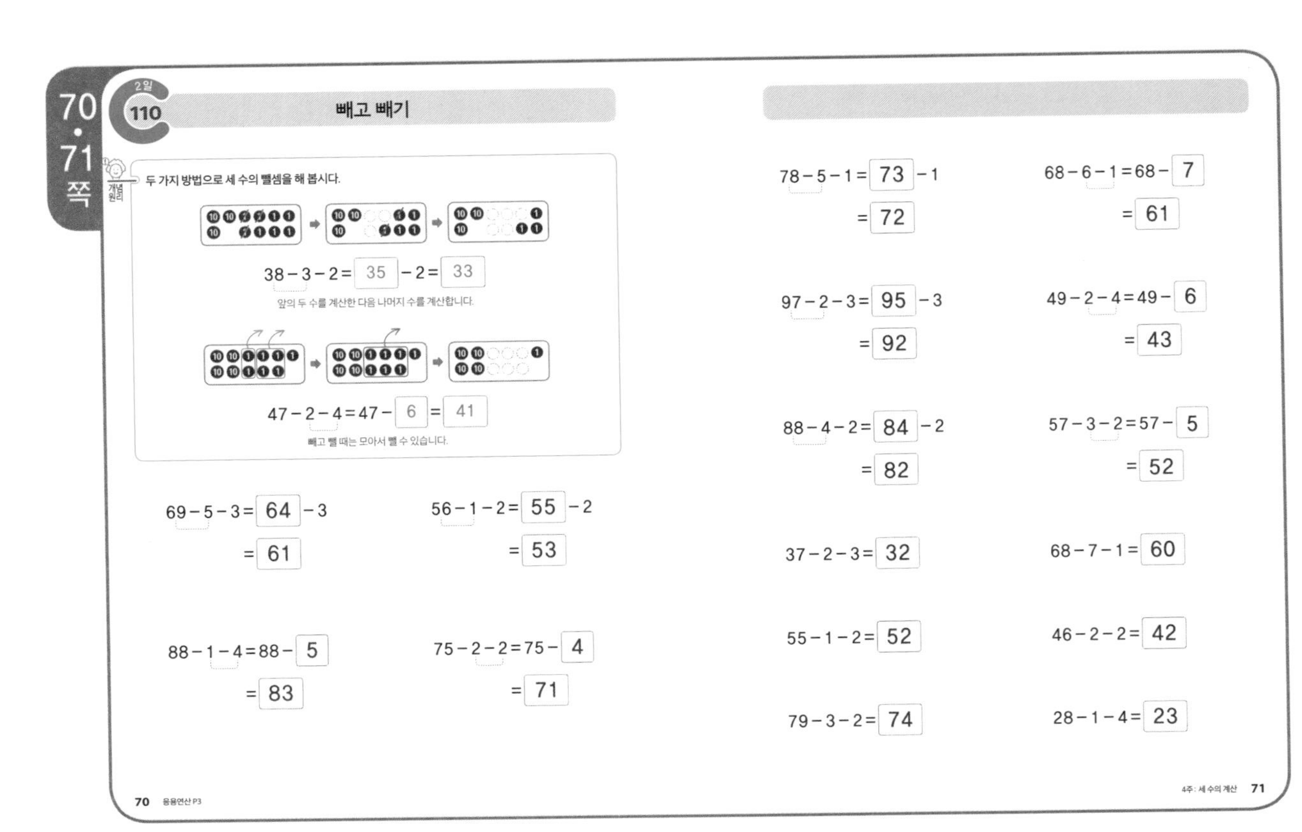
2일 110

빼고 빼기

개념원리 두 가지 방법으로 세 수의 뺄셈을 해 봅시다.

38 − 3 − 2 = 35 − 2 = 33

앞의 두 수를 계산한 다음 나머지 수를 계산합니다.

47 − 2 − 4 = 47 − 6 = 41

빼고 뺄 때는 모아서 뺄 수 있습니다.

69 − 5 − 3 = 64 − 3 = 61

56 − 1 − 2 = 55 − 2 = 53

88 − 1 − 4 = 88 − 5 = 83

75 − 2 − 2 = 75 − 4 = 71

78 − 5 − 1 = 73 − 1 = 72

68 − 6 − 1 = 68 − 7 = 61

97 − 2 − 3 = 95 − 3 = 92

49 − 2 − 4 = 49 − 6 = 43

88 − 4 − 2 = 84 − 2 = 82

57 − 3 − 2 = 57 − 5 = 52

37 − 2 − 3 = 32

68 − 7 − 1 = 60

55 − 1 − 2 = 52

46 − 2 − 2 = 42

79 − 3 − 2 = 74

28 − 1 − 4 = 23

70 응용연산 P3 / 4주 : 세 수의 계산 71

72·73쪽

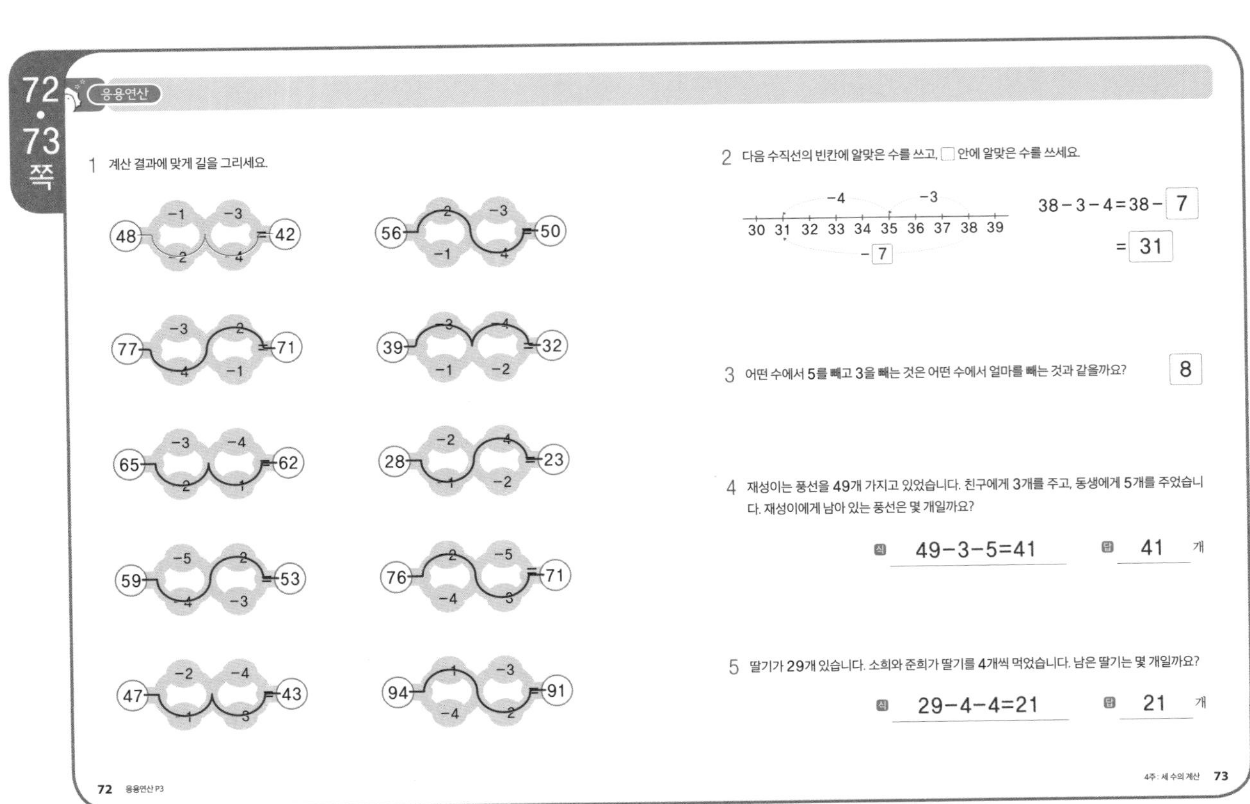
응용연산

1 계산 결과에 맞게 길을 그리세요.

2 다음 수직선의 빈칸에 알맞은 수를 쓰고, □ 안에 알맞은 수를 쓰세요.

38 − 3 − 4 = 38 − 7 = 31

3 어떤 수에서 5를 빼고 3을 빼는 것은 어떤 수에서 얼마를 빼는 것과 같을까요? 8

4 재성이는 풍선을 49개 가지고 있었습니다. 친구에게 3개를 주고, 동생에게 5개를 주었습니다. 재성이에게 남아 있는 풍선은 몇 개일까요?

식 49−3−5=41 답 41 개

5 딸기가 29개 있습니다. 소희와 준희가 딸기를 4개씩 먹었습니다. 남은 딸기는 몇 개일까요?

식 29−4−4=21 답 21 개

72 응용연산 P3 / 4주 : 세 수의 계산 73

74·75쪽

3일 111 세 수의 계산

개념원리 두 가지 방법으로 세 수의 계산을 해 봅시다.

54−2+5= 52 +5
= 57

54와 2의 차를 구한 다음 그 계산 결과에 5를 더합니다.

54−2+5=54+ 3
= 57

2를 빼고 5를 더하는 것은 3을 더한 것과 같습니다.

54 −2 52 +5 57 (+3)

48−3−2= 45 −2
= 43

48−3−2=48− 5
= 43

48 −3 45 −2 43 (−5)

82+7−5= 89 −5
= 84

82+7−5=82+ 2
= 84

82 +7 89 −5 84 (+2)

25+4−6= 29 −6
= 23

56−3+5=56+ 2
= 58

32+4+1= 36 +1
= 37

79−5−2=79− 7
= 72

47+2−6= 49 −6
= 43

68−7+4=68− 3
= 65

89−3−5= 81

36+2+1= 39

58−4+2= 56

92+6−4= 94

42+3+2= 47

64−1−2= 61

74 응용연산 P3

4주: 세 수의 계산 75

76·77쪽

응용연산

1 다음과 같이 두 가지 방법으로 계산을 하세요.

25+4−6= 29−6
= 23

25+4−6= 25−2
= 23

56−3+5= 53+5
= 58

56−3+5= 56+2
= 58

32+4+1= 36+1
= 37

32+4+1= 32+5
= 37

2 ○ 안에 + 또는 −를 채우세요.

65 (+) 4 (−) 7=62

26 (+) 2 (+) 1=29

44 (−) 2 (+) 3=45

73 (+) 5 (−) 2=76

58 (−) 1 (−) 6=51

36 (−) 3 (+) 5=38

3 ○ 안에 + 또는 −를 쓰고, 식과 답을 완성하세요.

형철이는 구슬을 39개 가지고 있습니다.
민호에게 5개를 주고, 기수에게 2개를 주었습니다.
형철이에게 남은 구슬은 몇 개일까요?

식 39 (−) 5 (−) 2= 32 답 32 개

4 버스에 46명이 타고 있습니다. 이번 정류장에서 3명이 타고 7명이 내렸습니다. 버스에는 몇 명이 타고 있을까요?

식 46+3−7=42 답 42 명

5 미술관에 어른 22명, 어린이 7명이 입장하였습니다. 그중에서 여자가 8명이라면 남자는 몇 명일까요?

식 22+7−8=21 답 21 명

76 응용연산 P3

4주: 세 수의 계산 77

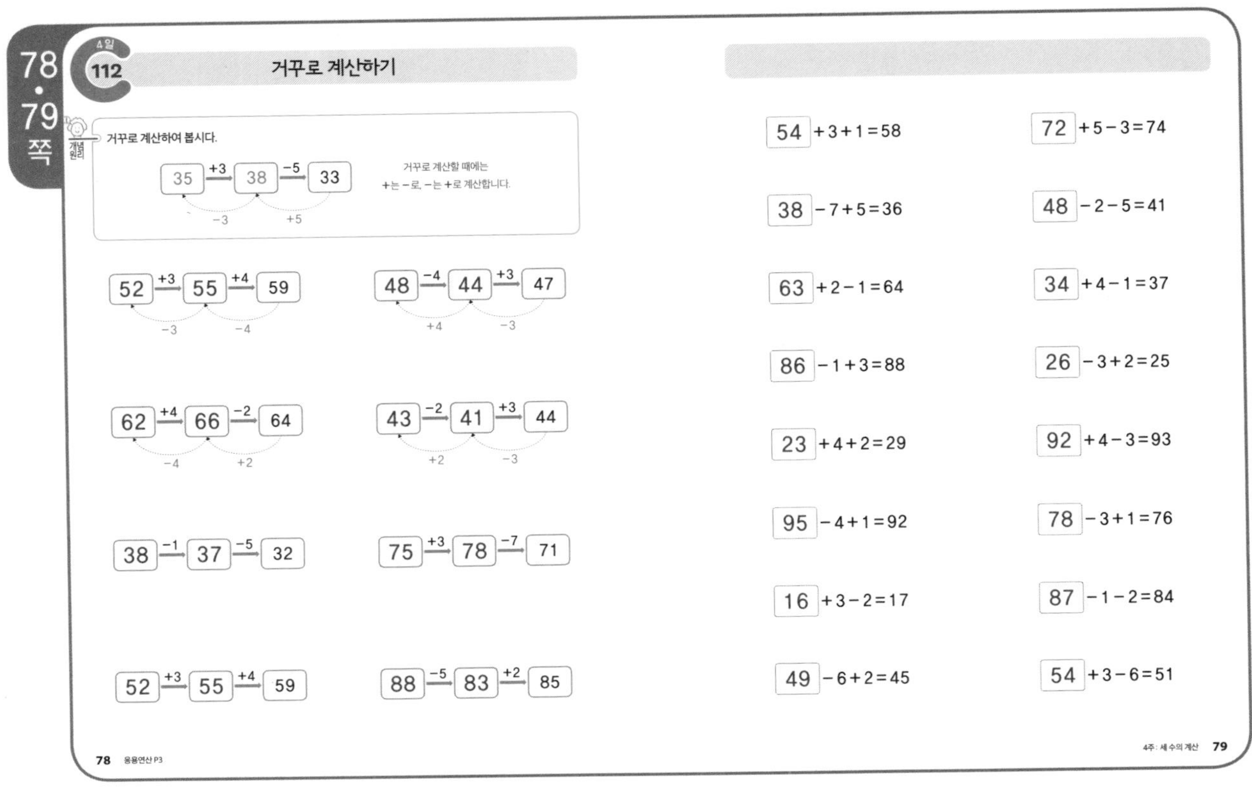

78·79쪽

4일 112 거꾸로 계산하기

개념원리 거꾸로 계산하여 봅시다.

35 →(+3) 38 →(−5) 33 (거꾸로: −3, +5)

거꾸로 계산할 때에는 +는 −로, −는 +로 계산합니다.

52 →(+3) 55 →(+4) 59 (−3, −4)

48 →(−4) 44 →(+3) 47 (+4, −3)

62 →(+4) 66 →(−2) 64 (−4, +2)

43 →(−2) 41 →(+3) 44 (+2, −3)

38 →(−1) 37 →(−5) 32

75 →(+3) 78 →(−7) 71

52 →(+3) 55 →(+4) 59

88 →(−5) 83 →(+2) 85

54 + 3 + 1 = 58
72 + 5 − 3 = 74
38 − 7 + 5 = 36
48 − 2 − 5 = 41
63 + 2 − 1 = 64
34 + 4 − 1 = 37
86 − 1 + 3 = 88
26 − 3 + 2 = 25
23 + 4 + 2 = 29
92 + 4 − 3 = 93
95 − 4 + 1 = 92
78 − 3 + 1 = 76
16 + 3 − 2 = 17
87 − 1 − 2 = 84
49 − 6 + 2 = 45
54 + 3 − 6 = 51

78 응용연산 P3 4주: 세 수의 계산 79

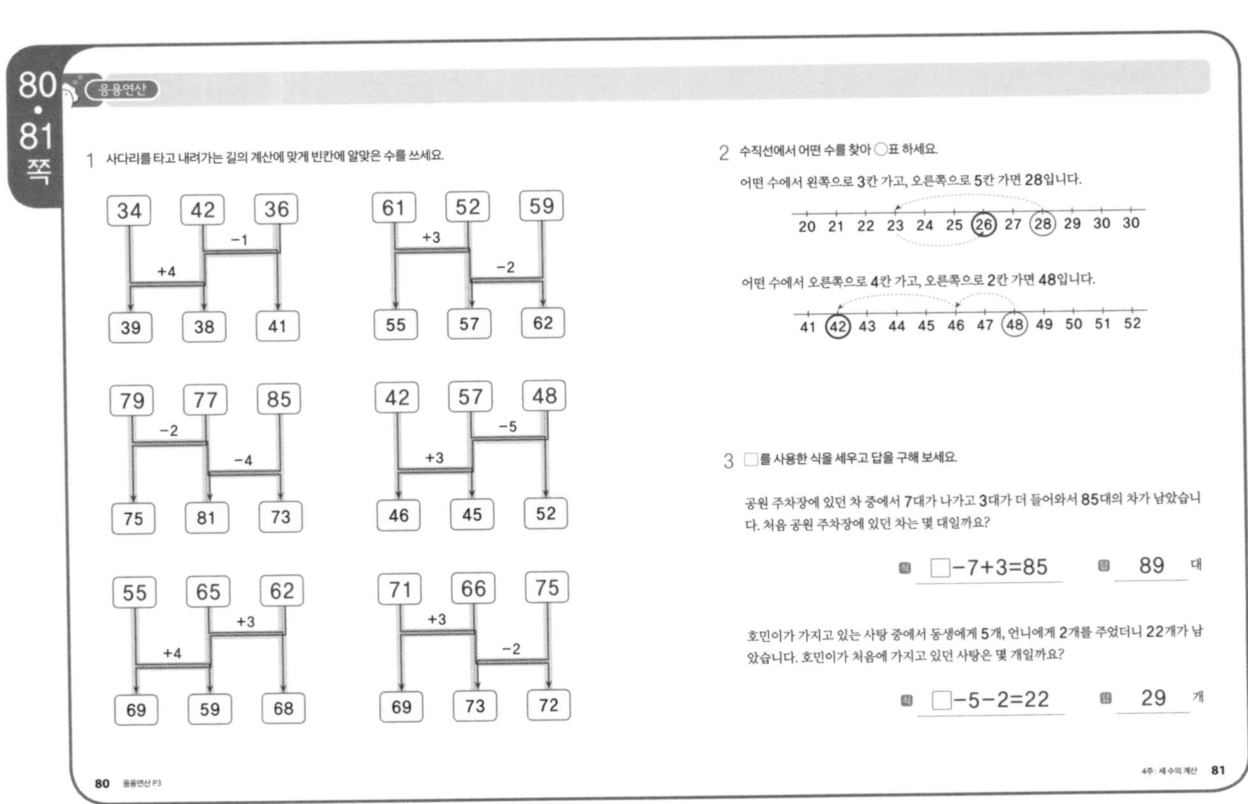

80·81쪽

응용연산

1 사다리를 타고 내려가는 길의 계산에 맞게 빈칸에 알맞은 수를 쓰세요.

34, 42, 36 (+4, −1) → 39, 38, 41

61, 52, 59 (+3, −2) → 55, 57, 62

79, 77, 85 (−2, −4) → 75, 81, 73

42, 57, 48 (+3, −5) → 46, 45, 52

55, 65, 62 (+4, +3) → 69, 59, 68

71, 66, 75 (+3, −2) → 69, 73, 72

2 수직선에서 어떤 수를 찾아 ○표 하세요.

어떤 수에서 왼쪽으로 3칸 가고, 오른쪽으로 5칸 가면 28입니다.

20 21 22 23 24 25 (26) 27 (28) 29 30 30

어떤 수에서 오른쪽으로 4칸 가고, 오른쪽으로 2칸 가면 48입니다.

41 (42) 43 44 45 46 47 (48) 49 50 51 52

3 □를 사용한 식을 세우고 답을 구해 보세요.

공원 주차장에 있던 차 중에서 7대가 나가고 3대가 더 들어와서 85대의 차가 남았습니다. 처음 공원 주차장에 있던 차는 몇 대일까요?

식 □−7+3=85 답 89 대

호민이가 가지고 있는 사탕 중에서 동생에게 5개, 언니에게 2개를 주었더니 22개가 남았습니다. 호민이가 처음에 가지고 있던 사탕은 몇 개일까요?

식 □−5−2=22 답 29 개

80 응용연산 P3 4주: 세 수의 계산 81

82·83쪽

5일 형성평가

1 연결된 세 수의 합이 ☆ 안의 수가 되도록 삼각형을 그리세요.

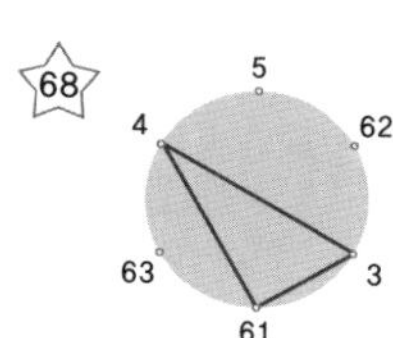

2 진열장에 도넛 32개, 머핀 2개, 바게트 4개가 있습니다. 진열장에 있는 빵은 모두 몇 개일까요?

식 32+2+4=38 답 38 개

3 계산 결과에 맞게 길을 그리세요.

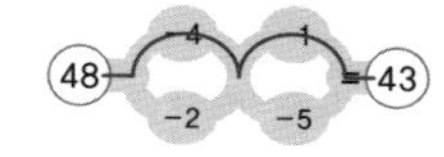

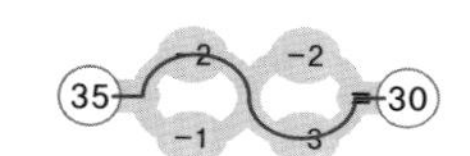

4 준영이는 스티커를 59장 가지고 있습니다. 은영이와 수진이에게 각각 3장씩 나누어 주었습니다. 남은 스티커는 몇 장일까요?

식 59−3−3=53 답 53 장

5 두 가지 방법으로 계산을 하세요.

97−6+2= 91+2
= 93

97−6+2= 97−4
= 93

6 ◯ 안에 + 또는 −를 채우세요.

65 (+) 4 (−) 7=62

58 (−) 2 (−) 4=52

42 (+) 2 (+) 3=47

37 (+) 2 (−) 6=33

82 응용연산 P3

4주 : 세 수의 계산 83

84쪽

7 마라톤 대회에 남자가 45명, 여자가 4명 참가하였습니다. 그중에서 모자를 쓰지 않은 사람이 6명이라면 모자를 쓴 사람은 몇 명일까요?

식 45+4−6=43 답 43 명

8 사다리를 타고 내려가는 길의 계산에 맞게 빈칸에 알맞은 수를 쓰세요.

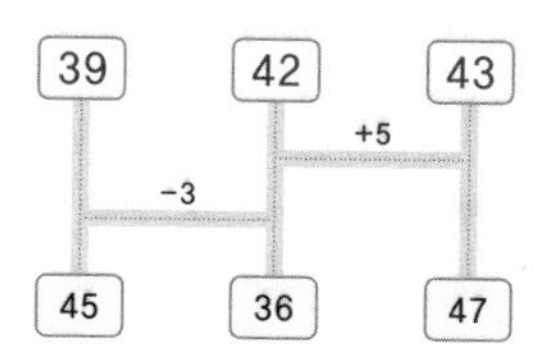

9 □를 사용한 식을 세우고 답을 구하세요.

현정이가 머핀을 구웠습니다. 친구에게 4개 주고, 동생에게 3개 주었더니 42개가 남았습니다. 현정이가 처음에 구운 머핀은 몇 개일까요?

식 □−4−3=42 답 49 개

84 응용연산 P3

Memo

Memo

“

Numbers rule the universe.

”

"수가 우주를 지배한다"

Pythagoras, 피타고라스